studio [21]

Glossar Deutsch – Englisch
Glossary German – English

A2

Deutsch als Fremdsprache

Glossary German – English

The glossary contains the complete vocabulary from Start to Unit 12, including Stations 1–4. Numbers, names of people, cities and countries as well as languages are not included in the list.

The numbers beside the words indicate where the words are found in the units (e.g. 3.4 means Block 3, Exercise 4).

With nouns you will always find the article in German and the plural form.
With verbs the 3rd person singular in the present and perfect is indicated.
Words that do not belong to the Certificate vocabulary are indicated in italics.

Symbols, Abbreviations and Conventions

The periods (“.”) and the lines (“_”) under the words indicate the word accent:

ạ = short vowel

a̲ = long vowel

Pl. (Plural) = this word exists only in the plural form

jmdm. (jemandem) = sb (somebody), *dative*

jmdn. (jemanden) = sb (somebody), *accusative*

etw. (etwas) = sth (something)

Willkommen in A2

der	***Sachtext**, die Sachtexte*	factual text	einen Sachtext verstehen
das	***Landeskundequiz**, die Landeskundequizze*	geography quiz	das Landeskundequiz lösen
das	**Quiz**, die Quizze	quiz	das Quiz lösen

1 Brücken in Europa

der	**Kilometer**, die Kilometer	kilometre	Die Vasco-da-Gama-Brücke ist 17,2 km lang.
der	**Kontinent**, die Kontinente	continent	Die Bosporus-Brücke in Istanbul verbindet zwei Kontinente.
die	***Straßenbrücke**, die Straßenbrücken*	road bridge	Die Straßenbrücke gibt es seit 1973.
	aussehen, er sieht aus, er hat ausgesehen	(to) look	Die ältesten Brücken Europas sehen so aus wie auf dem 5-Euro-Schein.

		orientalisch	oriental	Die Bosporus-Brücke verbindet die orientalische und die europäische Kultur.
		europäisch	European	Die Bosporus-Brücke verbindet die orientalische und die europäische Kultur.
		sondern	but	Diese Brücke ist keine Brücke für Menschen, sondern für Wasser, ein Aquädukt.
1.1b	*das*	***Aquädukt**, die Aquädukte*	aqueduct	Diese Brücke ist keine Brücke für Menschen, sondern für Wasser, ein Aquädukt.
	die	***Original-Brücke**, die Original-Brücken*	original bridge	Die Original-Brücke war aus Holz.
	das	**Holz**, die Hölzer	wood	Die Original-Brücke war aus Holz.
		bauen, er baut, er hat gebaut	(to) build	1325 baute man eine Brücke aus Stein.
	der	**Stein**, die Steine	stone	1325 baute man eine Brücke aus Stein.
	das	***Mittelalter***	Middle-Ages	Brücken mit Häusern waren im Mittelalter normal.
		faszinierend	fascinating	Ich finde diese Brücke faszinierend.
	der	***Stahl***	steel	Die Brücke ist aus Stahl.
	das	**Metall**, die Metalle	metal	Die Brücke ist aus Metall.

der	***Stadtteil**, die Stadtteile*	neighbourhood	Brücken verbinden Städte und Stadtteile.
der	**Fußgänger**, die Fußgänger	pedestrian (m)	Eine Brücke für Fußgänger heißt Fußgängerbrücke.
die	**Fußgängerin**, die Fußgänge-rinnen	pedestrian (f)	Die Fußgängerin geht über die Fußgängerbrücke.
die	***Bahnbrücke**, die Bahnbrücken*	railway bridge	Es gibt viele Bahnbrücken in Europa.

2 Die Brücke von A1 zu A2

2.1a	*der*	***Schattenriss**,* die Schatten-risse	silhouette	Zeichnen Sie einen Schattenriss von Ihrer Partnerin / Ihrem Partner.
2.1d		**Portugiesisch**	Portuguese	In Portugal spricht man Portugiesisch.
2.2a	*der*	***Yoga-Kurs**, die Yoga-Kurse*	yoga class	Der Yoga-Kurs beginnt gleich.
		verpassen, er verpasst, er hat verpasst	(to) miss	Ich habe die U-Bahn verpasst.
		völlig	completely	Das habe ich völlig vergessen.
		absagen, er sagt ab, er hat abgesagt	(to) cancel	Ich muss den Termin absagen.

2.2b	*die*	***Sprechblase****, die Sprechblasen*	speech bubble	Lesen Sie die Sprechblasen und sammeln Sie Gründe.
2.2c	der	**Stau**, die Staus	traffic jam	Ich stehe im Stau.
		variieren*, er variiert, er hat variiert*	(to) vary	Variieren Sie die Gründe und Entschuldigungen.
2.3a		***wegen***	because of	Tut mir leid wegen gestern.
	der	***Donnerstagabend****, die Donnerstagabende*	Thursday evening	Wir treffen uns am Donnerstagabend.
		vielleicht	maybe	Geht es vielleicht am Freitag?
	der	***Spanisch-Kurs****, die Spanisch-Kurse*	Spanish class	Vorher habe ich noch einen Spanisch-Kurs.
		nachmittags	in the afternoon	Am Donnerstag kann ich nur nachmittags.
2.3b	*die*	***Alternative****, die Alternativen*	alternative	Ich finde eine Alternative.
	das	***Dialogmodell****, die Dialogmodelle*	dialogue model	Arbeiten Sie zu zweit mit dem Dialogmodell.
		verschlafen*, er verschläft, er hat verschlafen*	(to) oversleep	Am Montagmorgen habe ich verschlafen.

die	***Wohnungsbesichtigung**, die Wohnungsbesichtigungen*	apartment viewing	Ich möchte einen Termin für eine Wohnungsbesichtigung machen.
die	***Wohnungsanzeige**, die Wohnungsanzeigen*	apartment ad	Ich lese eine Wohnungsanzeige in der Zeitung.
die	***Innenstadt**, die Innenstädte*	city centre	Die Wohnung ist in der Innenstadt.
die	***Kaltmiete**, die Kaltmieten*	basic rent	Die Kaltmiete ist 320 Euro.
die	**Miete**, die Mieten	rent	Die Miete für die Wohnung ist 320 Euro.
	***Autowerkstatt**, die Autowerkstätten*	auto repair shop	Ich rufe in der Autowerkstatt an.
der	**Motor**, die Motoren	motor	Der Motor läuft nicht mehr.

3 Fit für A2

3.1

die	**Situation**, die Situationen	situation	Spielen Sie die verschiedenen Situationen.
die	***Wendung**, die Wendungen*	expression	Üben Sie die Wendungen in Mini-Dialogen.
	Grüß Gott!	Hello!	Er begrüßt mich mit Grüß Gott!
der	**Kellner**, die Kellner	waiter	Der Kellner schreibt die Bestellung auf.

die	**Kellnerin**, die Kellnerinnen	waitress	Die Kellnerin schreibt die Bestellung auf.
	begrüßen, er begrüßt, er hat begrüßt	(to) greet	Er begrüßt mich mit Grüß Gott!
der	***Mini-Dialog**, die Mini-Dialoge*	mini-dialogue	Üben Sie die Wendungen in Mini-Dialogen.
der	***Abschnitt**, die Abschnitte*	section	Der Text hat mehrere Abschnitte.
der	***Mitbewohner**, die Mitbewohner*	housemate (m)	Mitbewohner wohnen zusammen in einer WG.
die	***Mitbewohnerin**, die Mitbewohnerinnen*	housemate (f)	Ich habe zwei Mitbewohnerinnen.
die	***National-Elf***	national soccer team	Die deutsche National-Elf trägt blaue T-Shirts und schwarze Hosen.
	Moin Moin	Hello!	Im Norden sagt man „Moin Moin“ statt „Guten Tag“.
	neutral	neutral	„Auf Wiedersehen“ ist neutral.
	geboren sein, er ist geboren	(to) be born	Johann Wolfgang von Goethe ist in Leipzig geboren.
	bekannt	well-known	„Red Bull“ ist ein bekannter Energy Drink.

der	**Energy Drink**, *die Energy Drinks*	energy drink	„Red Bull" ist ein bekannter Energy Drink.
der	**Sponsor**, *die Sponsoren*	sponsor (m)	Die Firma ist ein bekannter Sponsor für den Motorsport.
die	**Sponsorin**, *die Sponsorinnen*	sponsor (f)	Die Fußballmannschaft hat eine Sponsorin.
das	**Red-Bull-Team**, *die Red Bull-Teams*	Red Bull team	Sebastian Vettel war mit dem Red-Bull-Team 2010 Weltmeister.
der	**Weltmeister**, *die Weltmeister*	world champion (m)	Sebastian Vettel war mit dem Red-Bull-Team 2010 Weltmeister.
die	**Weltmeisterin**, *die Weltmeisterinnen*	world champion (f)	Nadine Angerer war mit der Frauen National-Elf 2003 und 2007 Weltmeisterin.
die	**Hauptmahlzeit**, *die Hauptmahlzeiten*	main meal	In Deutschland gibt es drei Hauptmahlzeiten.
die	**Brotzeit**	light meal	Abends isst man oft eine Brotzeit.
die	**Fußballnationalmannschaft**, *die Fußballnationalmannschaften*	national soccer team	Die deutsche Fußballnationalmannschaft war 2014 Weltmeister.
die	**Kreditkarte**, die Kreditkarten	credit card	Von der Bank bekommt man eine Kreditkarte.

die	***Ọstseeinsel**, die Ostseeinseln*	Baltic island	Sylt ist keine Ostseeinsel.
der	***Kanton**, die Kantone*	Canton	Der Kanton Aargau liegt im Norden der Schweiz.
der	**Sịtz**, die Sitze	seat	Der Sitz der Bundeskanzlerin ist das Bundeskanzleramt.
der	***Bụndeskanzler**, die Bundeskanzler*	German Chancellor (m)	Der Sitz des Bundeskanzlers ist das Bundeskanzleramt.
die	***Bụndeskanzlerin**, die Bundeskanzlerinnen*	German Chancellor (f)	Der Sitz der Bundeskanzlerin ist das Bundeskanzleramt.

1 Leben und lernen in Europa

die	***Migration***	migration	über Sprachen und Migration sprechen
das	***Bụ̈rgeramt**, die Bürgerämter*	one-stop government service centre	Das Bürgeramt ist in der Innenstadt.

die	**Arbeitserlaubnis**	work permit	Zum Arbeiten braucht man eine Arbeitserlaubnis.
die	***Volkshochschule*** *(VHS), die Volkshochschulen*	community college	In der Volkshochschule hat sie einen Deutschkurs gemacht.
der	***Gastarbeiter****, die Gastarbeiter*	foreign worker (m)	Die neuen Gastarbeiter kommen aus Südeuropa.
die	***Gastarbeiterin****, die Gastarbeiterinnen*	foreign worker (f)	Carolina, Alice und Gabriella sind Gastarbeiterinnen.
der	**Grund**, die Gründe	reason	Das ist ein guter Grund.
die	**Krise**, die Krisen	crisis	Die Krise ist in diesen Ländern ein Problem.
	vor allem	above all	Vor allem junge Menschen finden keinen Job.
	jung	young	Vor allem junge Menschen finden keinen Job.
	mobil	mobile	Sie sind mobil.
der	**Flug**, die Flüge	flight	Die Flüge sind billig.
die	***Job-Chance****, die Job-Chancen*	job opportunity	Sie sehen ihre Job-Chancen oft in Deutschland.
	verlassen, er verlässt, er hat verlassen	(to) leave	Sie verlassen ihre Heimat und gehen nach Deutschland.

der	**Spanier**, *die Spanier*	Spanish (m)	2012 sind rund 30.000 Spanier nach Deutschland gekommen.
die	**Spanierin**, *die Spanierinnen*	Spanish (f)	Carolina ist Spanierin.
der	**Grieche**, *die Griechen*	Greek (m)	Viele Griechen und Griechinnen sind nach Deutschland gekommen.
die	**Griechin**, *die Griechinnen*	Greek (f)	Viele Griechen und Griechinnen sind nach Deutschland gekommen.
der	**Italiener**, *die Italiener*	Italian (m)	In Berlin leben viele Italiener.
die	**Italienerin**, *die Italienerinnen*	Italian (f)	Gabriella ist Italienerin.
der	**Ungar**, *die Ungarn*	Hungarian (m)	Genauso viele Ungarn sind 2012 nach Deutschland gekommen.
die	**Ungarin**, *die Ungarinnen*	Hungarian (f)	Ihre Freundin ist Ungarin.
das	**Nachrichtenmagazin**, *die Nachrichtenmagazine*	news magazine	DER SPIEGEL ist ein Nachrichtenmagazin.
	berichten, *er berichtet, er hat berichtet*	(to) report	Das Nachrichtenmagazin DER SPIEGEL hat darüber berichtet.
	darüber	about that	Das Nachrichtenmagazin DER SPIEGEL hat darüber berichtet.

	nennen, er nennt, er hat genannt	(to) name	DER SPIEGEL hat sie „Die neuen Gastarbeiter" genannt.
der	**Titel**, die Titel	cover	Carolina war 2013 auf dem Titel.
	zurückgehen, er geht zurück, er ist zurückgegangen	(to) go back	Später ist er zurück nach Spanien gegangen.
das	**Marketing**	marketing	Carolina hat Marketing studiert.
	paar (ein paar)	a couple of	Sie war im Studium schon ein paar Monate in Berlin.
	spanisch	Spanish	Sie findet die Stadt jünger und internationaler als spanische Städte.
der	**Winter**, die Winter	winter	Die Winter in Berlin sind viel länger und kälter als in Spanien.
der	**Anfang (die Anfänge)**	(in the) beginning	Ihr Deutsch war am Anfang noch nicht so gut.
die	**Chance**, die Chancen	chance	Sie hatte nach dem Studium keine Chance auf einen Job.
die	***Krisenzeit**, die Krisenzeiten*	time of crisis	In der Krisenzeit gab es keine Arbeitsplätze.
der	***Marketing-Experte**, die Marketing-Experten*	marketing expert (m)	In der Krisenzeit gab es keine Arbeitsplätze für Marketing-Experten.

die	***Marketing-Expertin**, die Marketing-Expertinnen*	marketing expert (f)	In der Krisenzeit gab es keine Arbeitsplätze für Marketing-Expertinnen.
	staatlich	state-run	Sie hat einen Deutschkurs an der staatlichen Sprachschule besucht.
das	**Gymnasium**, die Gymnasien	academic high school	Später hat sie am Gymnasium weiter Deutsch gelernt.
	weiterlernen, er lernt weiter, er hat weitergelernt	(to) continue learning	Sie hat weiter Deutsch gelernt.
	weil	because	Sie hat weiter Deutsch gelernt, weil es ihr Spaß gemacht hat.
die	***Literatur**, die Literaturen*	literature	Sie interessiert sich sehr für deutsche Literatur.
	dorthin	there	Erst 1990 konnte sie öfter dorthin reisen.
	reisen, er reist, er ist gereist	(to) travel	Erst 1990 konnte sie öfter dorthin reisen.
der	***Konzern**, die Konzerne*	business group	Henkel ist ein deutscher Konzern.
der	**Mitarbeiter**, die Mitarbeiter	employee (m)	Henkel hat in Prag 250 Mitarbeiter.
die	**Mitarbeiterin**, die Mitarbeiterinnen	employee (f)	Alice ist eine Mitarbeiterin.

der	***Kooperationspartner**, die Kooperationspartner*	cooperation partner (m)	Die wichtigsten Kooperationspartner sind in Linz und in Düsseldorf.
die	***Kooperationspartnerin**, die Kooperationspartnerinnen*	cooperation partner (f)	Die wichtigsten Kooperationspartnerinnen sind in Linz und in Düsseldorf.
der	***ERASMUS-Student**, die ERASMUS-Studenten*	ERASMUS student (m)	Er war ERASMUS-Student.
die	***ERASMUS-Studentin**, die ERASMUS-Studentinnen*	ERASMUS student (f)	Sie war ERASMUS-Studentin.
das	***Auslandssemester**, die Auslandssemester*	semester abroad	Sie ist für ein Auslandssemester nach Spanien gegangen.
	ziehen (zu jmdm.), er zieht zu ihr, er ist zu ihr gezogen	studies	Nach dem Studium ist sie zu ihm nach München gezogen.
das	***Examen**, die Examen*	exams	Er macht gerade sein Examen.
der	***Intensivkurs**, die Intensivkurse*	intensive class	In München hat sie zwei Intensivkurse besucht.
das	**Praktikum**, die Praktika	internship	Jetzt macht sie ein Praktikum bei einem Gericht.
das	**Gericht**, die Gerichte	court	Jetzt macht sie ein Praktikum bei einem Gericht.
	fantasiereich	creative	Sie findet Deutsch fantasiereicher und komplexer als Italienisch.

	komplex	complex	Sie findet Deutsch fantasiereicher und komplexer als Italienisch.
die	***Herausforderung**, die Herausforderungen*	challenge	Deutsch ist eine Herausforderung.
	schnell	fast	Man hat schnell Erfolg.
der	**Erfolg**, die Erfolge	success	Man hat schnell Erfolg.
	herrlich	splendid	Man hat schnell Erfolg, das ist ein herrliches Gefühl.
das	**Gefühl**, die Gefühle	feeling	Man hat schnell Erfolg, das ist ein herrliches Gefühl.

1 Die neue Arbeitsmigration

	die	***Arbeitsmigration***	labour migration	Es gibt mehr Arbeitsmigration aus Südeuropa.
1.1a		***überfliegen**, er überfliegt, er hat überflogen*	(to) scan	Überfliegen Sie die Texte aus dem Magazin.
1.1b	das	**Semester**, die Semester	semester	Sie hat ein Semester in Spanien studiert.

2 Ist Deutsch ein „Plus" oder ein „Muss"?

das **Plus**	plus	Ist Deutsch ein „Plus" oder ein „Muss"?
das **Muss**	must	Ist Deutsch ein „Plus" oder ein „Muss"?
2.1a **abschließen** *(etw.), er schließt ab, er hat abgeschlossen*	finish	Ich möchte mein Studium in Deutschland abschließen.
der **Studienplatz**, *die Studienplätze*	university acceptance	Mein Traum ist ein Studienplatz in Europa.
der **Maschinenbau**	mechanical engineering	Ich lerne Deutsch, weil ich Maschinenbau studieren will.
die **Elektrotechnik**	electrical engineering	Ich lerne Deutsch, weil ich Elektrotechnik studieren will.
das **Berufsziel**, *die Berufsziele*	job goal	Mein Berufsziel ist Deutschlehrer.
faszinieren, *es fasziniert, es hat fasziniert*	(to) fascinate	Die deutsche Sprache hat mich schon immer fasziniert.
arabisch	Arabic	Deutschlernen ist jetzt in der arabischen Welt sehr populär.

	populär	popular	Deutschlernen ist jetzt in der arabischen Welt sehr populär.
das	***Deutschlernen***	learning German	Deutschlernen ist jetzt in der arabischen Welt sehr populär.
die	**Firma**, die Firmen	company	Er arbeitet bei einer deutschen Firma.
2.1a *das*	***Textverstehen***	reading comprehension	Überprüfen Sie Ihr Textverstehen.
	einsetzen (etw.), er setzt ein, er hat eingesetzt	(to) apply	Setzen Sie die Informationen ein.
der	***Lesetext***, *die Lesetexte*	reading text	Setzen Sie die Informationen aus den Lesetexten ein.
der	**Kontakt**, die Kontakte	contact	Er hat nicht viel Kontakt zu Deutschen.
	tun (etw.), er tut etw., er hat etw. getan	(to) do	Er tut etwas Gutes.
die	***Berlinreise***, *die Berlinreisen*	Berlin trip	Ich habe eine Berlinreise gebucht.
	buchen (etw.), er bucht, er hat gebucht	(to) book	Ich habe eine Berlinreise gebucht.

2.4	*die*	***Lern-Biografie**, die Lernbiografien*	learning resume	Ich schreibe meine Lern-Biografie.
	der	**Platz**, die Plätze	place	Auf Platz vier liegt Italien.
	die	***Heiratsagentur**, die Heiratsagenturen*	marriage agency	ERASMUS ist auch eine große Heiratsagentur für Akademiker.
	das	***ERASMUS-Semester**, die ERASMUS-Semester*	ERASMUS semester	Viele junge Leute lernen im ERASMUS-Semester ihren Lebenspartner kennen.
2.5		**warum**	why	Warum hast du Deutsch gelernt?
		heiraten, er heiratet, er hat geheiratet	(to) marry	Ich habe einen Spanier geheiratet.

3 Mehrsprachigkeit oder Englisch für alle?

3.1		**gratis**	free	Der Newsletter ist gratis.
	der	**Newsletter**, die Newsletter	newsletter	Der Newsletter ist gratis.
		***abonnieren (etw.)**, er abonniert etw., er hat etw. abonniert*	(to) subscribe	Er hat den gratis Newsletter abonniert.

3.2	*das*	***Genuesisch***	Genovese	Seine Muttersprache war Genuesisch.
		italienisch	Italian	Genuesisch ist ein italienischer Dialekt.
	der	***Dialekt**, die Dialekte*	dialect	Genuesisch ist ein italienischer Dialekt.
		Lateinisch	Latin	Seine Briefe hat er auf Lateinisch geschrieben.
	der	***Portugiese**, die Portugiesen*	Portuguese (m)	Dann hat sie einen Portugiesen geheiratet.
	die	***Portugiesin**, die Portugiesinnen*	Portuguese (f)	Dann hat er eine Portugiesin geheiratet.
		benutzen, er benutzt, er hat benutzt	(to) use	Er hat Italienisch nicht mehr benutzt.
	die	***Umgangssprache**, die Umgangssprachen*	everyday language	Seine Umgangssprache war jetzt Portugiesisch.
	der	**König**, die Könige	king	Später hat er für den König von Spanien gearbeitet.
	die	**Königin**, die Königinnen	queen	Der König ist mit der Königin verheiratet.
	das	**Schiff**, die Schiffe	ship	Sein Schiff war die „Santa Maria“.
		***segeln**, er segelt, er ist gesegelt*	(to) sail	Mit drei Schiffen segelte er nach Westen.
3.3	*das*	***Zitat**, die Zitate*	quote	Es gibt viele Meinungen zu diesem Zitat.

	der	**Vọrteil**, die Vorteile	advantage	Deutsch ist ein Plus, weil man Vorteile im Beruf hat.
	der	**Präsidẹnt**, die Präsidenten	president (m)	Klaus-Dieter Lehmann ist Präsident des Goethe-Instituts.
	die	**Präsidentin**, die Präsiden-tinnen	president (f)	Jutta Limbach war Präsidentin des Goethe-Instituts.
3.4	die	**Wẹltsprache**, die Weltspra-chen	world language	Englisch ist eine Weltsprache.
		nụtzlich	useful	Deutsch ist nützlich im Beruf.
3.6d	*der*	***Ẹnglischunterricht***	English classes	Die meisten Schüler im Englischunterricht sind jünger als 14.

4 Rekorde

	der	***Rekọrd**, die Rekorde*	record	Vergleichen Sie die Rekorde.
4.1a		***japanisch***	Japanese	Der japanische Shinkansen Zug ist am schnellsten.
		brịtisch	British	Der britische Intercity Zug ist am schnellsten.
	der	***Intercịty**, die Intercitys*	Intercity	Der britische Intercity ist ein Zug.

	die	*Atomuhr, die Atomuhren*	atomic clock	Atomuhren gehen am genauesten.
	die	*Digitaluhr, die Digitaluhren*	digital clock	Digitaluhren gehen am genauesten.
	die	***Kuckucksuhr**, die Kuckucksuhren*	cuckoo clock	Kuckucksuhren kommen aus Deutschland.
4.1b	*die*	***Quizfrage**, die Quizfragen*	quiz question	Schreiben Sie weitere Quizfragen im Kurs.
		hoch	high	Der Berg ist sehr hoch.
4.1c	*der*	***Superlativ**, die Superlative*	superlative	Markieren Sie die Superlative.
4.2		**englisch**	English	Das Sandwich kostet 100 englische Pfund.
	der	***Welt-Rekord**, die Welt-Rekorde*	world record	Den Welt-Rekord für das teuerste Sandwich hält England.
		***wiegen**, er wiegt, er hat gewogen*	(to) weigh	Der größte Hamburger wiegt 913 Kilo.
		gehören (jmdm.), es gehört ihm, es hat ihm gehört	(to) belong (to)	Die schnellste Nudelküche gehört Fei Wang.
	die	***Portion**, die Portionen*	portion	Er hat drei Portionen Nudeln gemacht.
	das	***Steak**, die Steaks*	steak	Das längste Steak war 27 Meter lang.

		***servieren**, er serviert, er hat serviert*	(to) serve	In Frankreich hat man das längste Steak serviert.
	die	***Kuh**, die Kühe*	cow	Das Steak war länger als die Kuh.
		nämlich	namely	Das Steak war länger als die Kuh, nämlich 27 Meter lang.
		möglich	possible	Wie ist das möglich?
4.3	*der*	***Wettbewerb**, die Wettbewerbe*	contest	Das Goethe-Institut hat einen Wettbewerb organisiert.
		mitmachen, er macht mit, er hat mitgemacht	(to) participate	12.000 Menschen haben mitgemacht.
	das	***Fernsehen***	television	Die Zeitungen und das Fernsehen haben berichtet.
4.3a	*die*	***Begründung**, die Begründungen*	reason	Lesen Sie die Begründungen.
		***rascheln**, es raschelt, es hat geraschelt*	(to) rustle	Mein schönstes deutsches Wort lautet „rascheln“.
		***lauten**, es lautet, es hat gelautet*	(to) be	Mein schönstes deutsches Wort lautet „rascheln“.
		geheimnisvoll	secretive	Rascheln ist geheimnisvoll.

	unheimlich	uncanny	Rascheln ist unheimlich.
	heimelig	homey	Rascheln ist heimelig.
	zugleich	at the same time	Rascheln ist geheimnisvoll, unheimlich und heimelig zugleich.
der	**Sommerregen**, *die Sommerregen*	summer rain	Ich finde, „Sommerregen“ ist das schönste deutsche Wort.
der	**Geruch**, *die Gerüche*	smell	Ich mag den Geruch von Sommerregen.
	***erinnern (sich an etw.)**, er erinnert sich an etw., er hat sich an etw. erinnert*	(to) remind (sb. of sth.)	Er erinnert mich an den Sommer.
die	***Rhababermarmelade**, die Rhababermarmeladen*	rhubarb jam	Er isst ein Brot mit Rhabarbermarmelade.
der	**Klang**, *die Klänge*	sound	Rhabarbermarmelade – was für ein Klang!
das	***Wirrwarr***	jumble	„Wirrwarr“ ist für mich das schönste deutsche Wort.
	fassen (in Sprache fassen)	(to) express	„Wirrwarr“ fasst das Chaos auch in Sprache.
die	**Sternschnuppe**, *die Sternschnuppen*	shooting star	Mein schönstes deutsches Wort ist „Sternschnuppe“.

der	**Wụnsch**, die Wünsche	wish	Nach einer Sternschnuppe hat man immer einen Wunsch frei.
die	***Kịchererbse**, die Kichererbsen*	chickpea	Mein schönstes deutsches Wort heißt „Kichererbse".
	lụstig	funny	Mein schönstes deutsches Wort heißt „Kichererbse", weil es so lustig ist.
	verrụ̈ckt	crazy / disarranged	„Verrückt" – ist doch schön, wenn nicht alles gerade ist.
	gerade	straight	„Verrückt" – ist doch schön, wenn nicht alles gerade ist.
der	***Quạtsch***	nonsense	Das ist doch Quatsch.
	***ạnhören (sich)**, es hört sich an, es hat sich angehört*	(to) sound	„Quatsch" hört sich so an, als würde man wo drauftreten.
	***drauftreten**, er tritt drauf, er ist draufgetreten*	(to) step on (sth.)	„Quatsch" hört sich so an, als würde man wo drauftreten.
die	**Seite**, die Seiten	side	Das kommt an den Seiten wieder raus.
	entfẹrnt	away	Lieben ist nur ein „i" vom Leben entfernt.

	die ***Pusteblume****, die Pusteblumen*	dandelion seed head	Mein schönstes deutsches Wort lautet „Pusteblume".
	klingen (nach etw.)*, es klingt, es hat geklungen*	(to) sound (like sth.)	„Pusteblume" klingt wunderschön und nach Sommer.
	dazu	to (that)	„Pusteblume" lädt dazu ein das zu tun, was der Name sagt.
	einladen (zu etw.), er lädt ein, er hat eingeladen	(to) invite	„Pusteblume" lädt dazu ein das zu tun, was der Name sagt.
	pusten, er pustet, er hat gepustet	(to) blow	„Pusteblume" lädt dazu ein zu pusten.

Ü Übungen

Ü1b	*der* ***Fachmann****, die Fachmänner/Fachleute*	expert (m)	Der Experte ist Fachmann für seinen Beruf.
	die ***Fachfrau****, die Fachfrauen/Fachleute*	expert (f)	Die Expertin ist Fachfrau für ihren Beruf.
Ü1c	*das* ***Marketing-Studium***	marketing studies	In Deutschland ist das Marketing-Studium sehr beliebt.

Ü2b	*der*	**Arbeiter**, *die Arbeiter*	worker (m)	Viele Fabriken haben Arbeiter gesucht.
	die	**Arbeiterin**, *die Arbeiterinnen*	worker (f)	Sie kam als Arbeiterin nach Deutschland.
Ü2c	*die*	**Spalte**, *die Spalten*	column	Einige Aussagen passen in beide Spalten.
		geb. *(=geboren)*	born (nee)	Auma Obama, geb. 1960, kommt aus Kenia.
	der	**Schriftsteller**, *die Schriftsteller*	writer (m)	Sie mag den Schriftsteller Heinrich Böll.
	die	**Schriftstellerin**, *die Schriftstellerinnen*	writer (f)	Sie mag die Schriftstellerin Christa Wolf.
		promovieren, *er promoviert, er hat promoviert*	(to) do one's PhD	Sie hat in Bayreuth promoviert.
	die	**Filmakademie**, *die Filmakademien*	film school	Sie hat an der Filmakademie in Berlin studiert.
	die	**Präsidentenwahl**, *die Präsidentenwahlen*	presidential election	2008 hat sie ihrem Bruder bei der Präsidentenwahl geholfen.
		dazwischenkommen, *etw. kommt dazwischen, etw. ist dazwischengekommen*	(to) come between	Das Leben kommt immer dazwischen.
Ü4b	*der*	**Germanist**, *die Germanisten*	German scholar (m)	Ein Germanist studiert deutsche Literatur.

	die	**Germanistin**, *die Germanistinnen*	German scholar (f)	Auma Obama ist Germanistin.
	der	**Politiker**, *die Politiker*	politician (m)	Barack Obama ist Politiker.
	die	**Politikerin**, *die Politikerinnen*	politician (f)	Auma Obama ist keine Politikerin.
Ü7a	*der*	**Test** *(B1-Test), die Tests*	test	Glauco will den B1-Test machen.
Ü7b	*der*	**Chinese**, *die Chinesen*	Chinese (m)	Warum lernen viele Chinesen Englisch?
	die	**Chinesin**, *die Chinesinnen*	Chinese (f)	Meine Freundin ist Chinesin.
Ü8a	*das*	**Mandarin**	Mandarin	Im Moment lerne ich in einem Kurs Mandarin.
	der	**Sprachenexperte**, *die Sprachenexperten*	language expert (m)	Er ist ein richtiger Sprachenexperte.
	die	**Sprachenexpertin**, *die Sprachenexpertinnen*	language expert (f)	Dann waren Sie schon früh eine Sprachenexpertin!
		Schwedisch	Swedish	In der Familie haben wir Deutsch und Schwedisch gesprochen.
	der	**Englischlehrer**, *die Englischlehrer*	English teacher (m)	Ich habe viele Jahre als Englischlehrer in Schweden gearbeitet.

	die	***Englischlehrerin**, die Englischlehrerinnen*	English teacher (f)	Ich habe viele Jahre als Englischlehrerin in Schweden gearbeitet.
Ü8c		***zusammenleben**, sie (Pl.) leben zusammen, sie haben zusammengelebt*	(to) live together	Sie will mit Markus zusammenleben.
Ü9	die	***Sprachenbiografie**, die Sprachenbiografien*	language resume	Schreiben Sie Ihre Sprachenbiografie.
	das	***Portfolio**, die Portfolios*	portfolio	Beantworten Sie die Fragen aus dem Sprachenportfolio.
	das	***Sprachenportfolio**, die Sprachenportfolios*	language portfolio	Beantworten Sie die Fragen aus dem Sprachenportfolio.
		***träumen**, er träumt, er hat geträumt*	(to) dream	In welcher Sprache träume ich?
Ü10	das	***E-Book**, die E-Books*	ebook	Er liest das E-Book.
Ü12a	die	***Grundform**, die Grundformen*	base form	Markieren Sie die Grundform.
Ü13	der	***Tierrekord**, die Tierrekorde*	animal record	Sprechen Sie über Tierrekorde.
	der	***Gepard**, die Geparden*	cheetah	Das schnellste Tier auf dem Land ist der Gepard.

	der	***Wanderfalke**, die Wanderfalken*	peregrine falcon	Der Wanderfalke ist noch schneller.
	der	***Walhai**, die Walhaie*	whale shark	Der Walhai ist der größte Fisch.
	der	***Blauwal**, die Blauwale*	blue whale	Der Blauwal ist kein Fisch.
	der	***Vogel Strauß***	ostrich	Der Vogel Strauß ist der größte Laufvogel auf der Erde.
	die	***Giraffe**, die Giraffen*	giraffe	Der Hals von der Giraffe ist länger als der Hals vom Vogel Strauß.
	der	***Laufvogel**, die Laufvögel*	cursorial bird	Der Vogel Strauß ist der größte Laufvogel auf der Erde.
Ü15	*die*	***Webseite**, die Webseiten*	webpage	Mehr als jede zweite Webseite ist auf Englisch und Chinesisch.
		englischsprachig	English-speaking	Es gibt mehr englischsprachige Personen im Internet als chinesische.

2 Familiengeschichten

die	***Familiengeschichte**, die Familiengeschichten*	family history	die Familiengeschichten lesen
	***beglückwünschen**, er beglückwünscht, er hat beglückwünscht*	(to) wish someone well	jemanden beglückwünschen
	***taufen**, er wird getauft, er ist getauft worden*	(to) baptize	Das Kind wird in der Kirche getauft.
die	**Geschwister**, Pl.	sibling	Ich habe drei Geschwister.
der	***Zwilling**, die Zwillinge*	twin	Meine Brüder sind Zwillinge.
die	**Hochzeit**, die Hochzeiten	wedding	Marianne und Peter feiern Hochzeit.
der	***Ehering**, die Eheringe*	wedding ring	Sie tauschen die Eheringe aus.

1 Familie Saalfeld

1.1a	**letzte, letzter, letztes**	last	Das Foto haben wir letzten Sommer gemacht.

	hịnter	behind	Ich sitze hinter meinem Schwager Marko.
der	***Schwa̲ger***, *die Schwager*	brother-in-law	Ich sitze hinter meinem Schwager Marko.
das	***Gebu̲rtsjahr***, *die Geburtsjahre*	year of birth	Ihr Geburtsjahr ist 1959.
	stọlz	proud	Sie sind sehr stolz auf ihre drei Enkelkinder.
das	***Ẹnkelkind***, *die Enkelkinder*	grandchild	Sie sind sehr stolz auf ihre drei Enkelkinder.
der	**Ẹnkel**, die Enkel	grandson	Marianne hat einen Enkel.
die	**Ẹnkelin**, die Enkelinnen	granddaughter	Marianne hat zwei Enkelinnen.
die	**O̲ma**, die Omas	grandma	Die Enkel sind gerne bei Oma und Opa.
der	**O̲pa**, die Opas	grandpa	Die Enkel sind gerne bei Oma und Opa.
	hịnten	at the back	Mein Bruder Matthias steht hinten in der Mitte.
1.2a *die*	***Sọftwarefirma***, *die Softwarefirmen*	software company	Er arbeitet bei einer Softwarefirma in Halle.
der	***O̲ldtimer***, *die Oldtimer*	old-timer	Sie interessiert sich für Oldtimer.
das	**Fami̲lienfoto**, die Familienfotos	family photograph	Ich habe alte Familienfotos von meiner Oma.

	die	***Zuckertüte**, die Zuckertüten*	school beginning cone of candies	Was ist eine Zuckertüte?
1.3		**ledig**	single	Ich bin ledig.
		geschieden	divorced	Meine Schwester ist geschieden.
		verwitwet	widowed	Meine Oma ist verwitwet.
	das	***Einzelkind**, die Einzelkinder*	only child	Ich bin ein Einzelkind.

2 Meine Verwandten

	der/die	***Verwandte**, die Verwandten*	relative	Meine Verwandten wohnen in Rudolstadt.
2.1a	die	**Schwiegermutter**, die Schwiegermütter	mother-in-law	Meine Schwiegermutter heißt Marianne.
	die	**Schwiegereltern** (Pl.)	parents-in-law	Meine Schwiegermutter und mein Schwiegervater sind meine Schwiegereltern.
2.1b	die	**Tante**, die Tanten	aunt	Meine Tante und mein Onkel wohnen in Berlin.

	die	**Nichte**, die Nichten	niece	Meine Nichte ist noch klein.
	der	**Neffe**, die Neffen	nephew	Mein Neffe ist fünf Jahre alt.
	der	**Cousin**, die Cousins	cousin (m)	Mein Cousin spielt gerne Fußball.
2.2	der	**Schwiegersohn**, die Schwiegersöhne	son-in-law	Ist das der Schwiegersohn von Günther?
2.3	*die*	***Urgroßeltern*** *(Pl.)*	great-grandparents	Da hinten stehen meine Urgroßeltern.
	die	**Großeltern** (Pl.)	grandparents	Daneben sitzen meine Großeltern.
	die	**Großmutter**, die Großmütter	grandmother	Rechts ist meine Großmutter.
	die	**Schwiegertochter**, die Schwiegertöchter	daughter-in-law	Vorn sind die Schwiegertöchter.
	der	**Onkel**, die Onkel	uncle	Unser Onkel steht neben unserer Tante.
2.6	*das*	***Partnerinterview****, die Partnerinterviews*	partner interview	Führen Sie ein Partnerinterview.
	die	***Cousine****, die Cousinen*	cousin (f)	Am liebsten gehe ich mit meiner Cousine ins Kino.
2.7	*das*	***Familienrätsel****, die Familienrätsel*	family puzzle	Wer kann das Familienrätsel lösen?

2.9a		**herzlich**	warm(ly)	Zu meinem 60. Geburtstag lade ich euch herzlich ein.
	die	**Gaststätte**, die Gaststätten	restaurant	Die Geburtstagsfeier findet in der Gaststätte „Stadt-Garten“ statt.
		mitbringen, er bringt mit, er hat mitgebracht	(to) bring with	Bitte bringt gute Laune mit!
	die	***Geburtstagsfeier**, die Geburtstagsfeiern*	birthday party	Ich lade euch zu meiner Geburtstagsfeier ein.
2.10		**schenken**, er schenkt, er hat geschenkt	(to) give	Was schenkst du deiner Oma zum Geburtstag?
	der	***Blumenstrauß**, die Blumensträuße*	bouquet of flowers	Ich schenke ihr einen Blumenstrauß.
		Herzlichen Glückwunsch!	Congratulations!	Ich sage „Herzlichen Glückwunsch!“
	der	**Glückwunsch**, die Glückwünsche	congratulations	Ich sage ihr meine Glückwünsche.
2.11	*das*	***Lippentraining***	lip exercises	Machen Sie das Lippentraining.
	der	***Laut**, die Laute*	sound	Hören und üben Sie die Laute.

3 Au-pair – Arbeiten und Fremdsprachen lernen in einer Familie

3.1	die **Broschüre**, *die Broschüren*	brochure	eine Broschüre systematisch lesen
3.1b	***fremd***	foreign	Sie lernen fremde Sprachen und Kulturen kennen.
	sogar	as well	Man bekommt sogar ein bisschen Geld.
	das ***Au-pair**, die Au-pairs*	au pair	In der Schweiz gibt es mehr als 15.000 Au-pairs.
	etwa	around	In Deutschland gibt es etwa 30.000 Au-pairs.
	singen, er singt, er hat gesungen	(to) sing	Au-pairs singen mit den Kindern.
	***basteln**, er bastelt, er hat gebastelt*	(to) do crafts	Sie basteln mit den Kindern.
	aufräumen, er räumt auf, er hat aufgeräumt	(to) tidy up	Au-pairs räumen das Kinderzimmer auf.
	spülen, er spült, er hat gespült	(to) wash up	Sie spülen das Geschirr.
	***staubsaugen**, er staubsaugt, er hat gestaubsaugt*	(to) vacuum	Au-pairs staubsaugen das Kinderzimmer.
	***bügeln**, er bügelt, er hat gebügelt*	(to) iron	Au-pairs bügeln die Kleidung.

	sonstige	other	Auch sonstige Hilfe bei der Hausarbeit kann zu ihren Aufgaben gehören.
die	**Hausarbeit**, die Hausarbeiten	housework	Auch sonstige Hilfe bei der Hausarbeit kann zu ihren Aufgaben gehören.
die	***Aufgabe***, *die Aufgaben*	duty	Bügeln, Staubsaugen und Spülen kann zu ihren Aufgaben gehören.
	maximal	maximum	Die maximale Arbeitszeit beträgt 30 Stunden in der Woche.
	betragen, etw. beträgt, etw. hat betragen	(to) be	Die maximale Arbeitszeit beträgt 30 Stunden in der Woche.
	inklusive	including	Die maximale Arbeitszeit beträgt 30 Stunden inklusive Babysitting.
das	***Babysitting***	babysitting	Babysitting ist Teil ihrer Arbeit.
die	***Unfallversicherung***, *die Unfallversicherungen*	accident insurance	Die Familie bezahlt eine Unfallversicherung.
das	***Taschengeld***	spending money	Als Au-pair verdient man etwa 260 Euro Taschengeld im Monat.
	anderthalb	one and a half	Als Au-pair hat man anderthalb Tage pro Woche frei.

der	**Sprachkurs**, die Sprachkurse	language course	Die Au-pairs können einen Sprachkurs besuchen.
die	**Unterkunft**, die Unterkünfte	lodging	Die Unterkunft bei der Familie ist kostenlos.
die	***Verpflegung**, die Verpflegungen*	board	Die Verpflegung bei der Familie ist kostenlos.
	kostenlos	cost-free	Unterkunft und Verpflegung bei der Familie sind kostenlos.
der	***Franken**, die Franken*	Swiss frank	In der Schweiz verdient man als Au-pair 790 Franken Taschengeld.
die	**Hälfte**, die Hälften	half	Die Familie bezahlt die Hälfte vom Sprachkurs.
die	***Reisekosten**, (Pl.)*	travel expenses	Die Reisekosten muss man selbst bezahlen.
	selbst	oneself	Die Reisekosten muss man selbst bezahlen.
die	***Au-pair-Agentur**, die Au-pair-Agenturen*	au pair agency	Es gibt in Deutschland etwa 300 Au-pair-Agenturen.
die	**Vermittlung**, die Vermittlungen	placement	Au-pair-Agenturen übernehmen die Vermittlung.
	***übernehmen**, er übernimmt, er hat übernommen*	(to) undertake	Au-pair-Agenturen übernehmen die Vermittlung.

	***plus**: Au-pair 50 plus*	plus	Ein Trend ist „Au-pair 50 plus" für Menschen über 50.
	***ältere**, älterer, älteres*	older	Auch viele ältere Menschen finden die Arbeit als Au-pair attraktiv.
	***zusammenpassen**, sie (Pl.) passen zusammen, sie haben zusammengepasst*	(to) be compatible	Manchmal passen die Au-pairs und die Familie nicht zusammen.
die	**Ordnung**	order	Sie haben andere Ideen von Ordnung.
die	***Kindererziehung***	child-rearing	Sie haben andere Ideen von Kindererziehung.
die	***Arbeitskraft**, die Arbeitskräfte*	labour	Manche Familien wollen nur eine billige Arbeitskraft.
der	***Aufenthalt**, die Aufenthalte*	stay	Für viele Au-pairs ist es der erste Aufenthalt im Ausland.
das	**Heimweh**	homesickness	Sie haben Heimweh.
	***wohlfühlen (sich)**, er fühlt sich wohl, er hat sich wohlgefühlt*	(to) feel well	Sie fühlen sich nicht wohl in der Familie oder dem Land.

4 Ein mysteriöser Fall

		mysteriös	mysterious	Das ist ein mysteriöser Fall.
4.1	*der*	***Artikel**, die Artikel*	article	Überfliegen Sie den Artikel aus der „Abendzeitung“.
4.1a		***vermissen**, er vermisst, er hat vermisst*	(to) miss	Seit Montag vermisst die Familie Mari.
		weg (sein), er ist weg, er war weg	(to) be gone	Mari M. ist weg.
		zurückkommen, er kommt zurück, er ist zurückgekommen	(to) come back	Sie hatte frei und ist nicht zurückgekommen.
	die	***Sorge (sich Sorgen machen)**, er macht sich Sorgen, er hat sich Sorgen gemacht*	(to) be worried	Die Familie macht sich große Sorgen.
	der	***Mittwochmorgen**, die Mittwochmorgen*	Wednesday morning	Die Familie hat am Mittwochmorgen die Polizei alarmiert.
		***alarmieren**, er alarmiert, er hat alarmiert*	(to) notify	Die Familie hat am Mittwochmorgen die Polizei alarmiert.
	das	***Rätsel**, die Rätsel*	puzzle	Die Familie steht vor einem großen Rätsel.

die	***Informatik***	information technology	Er studiert Informatik in Stuttgart.
der	***Informatik-Kurs**, die Informatik-Kurse*	information technology course	Er unterrichtet dort einen Informatik-Kurs.
der	***Sprachkursteilnehmer**, die Sprachkursteilnehmer*	language class participant (m)	Die Polizei hat die Sprachkursteilnehmer befragt.
die	***Sprachkursteilnehmerin**, die Sprachkursteilnehmerinnen*	language class participant (f)	Die Polizei hat die Sprachkursteilnehmerinnen befragt.
	***befragen**, er befragt, er hat befragt*	(to) ask questions of	Die Polizei hat die Sprachkursteilnehmer befragt.
	blond	blonde	Mari ist groß und hat lange blonde Haare.
4.2 *die*	***Textstelle**, die Textstellen*	text passage	Finden Sie die Textstellen und notieren Sie die Informationen.
	womit	with what	Womit war Mari unterwegs?

		reagieren (auf etw.), er reagiert auf etw., er hat auf etw. reagiert	(to) react	Wie reagiert die Familie auf den Fall?
4.3a		**dass**	that	Herr Schirmer meint, dass die Familie sich Sorgen macht.
		gemeinsam	together	Schreiben Sie gemeinsam eine Geschichte.
4.4a		***beschreiben**, er beschreibt, er hat beschrieben*	(to) describe	Beschreiben Sie Herrn Schirmer.
		***weitergehen**, es geht weiter, es ist weitergegangen*	(to) continue	Wie geht die Geschichte weiter?
	die	**Geschichte**, die Geschichten	story	Lesen Sie die Geschichten im Kurs vor.
4.5a	*der*	***Radiobericht**, die Radioberichte*	radio report	Hören Sie den Radiobericht und notieren Sie wichtige Informationen.
		***auftauchen**, er taucht auf, er ist aufgetaucht*	(to) turn up	Au-pair aufgetaucht: Mari M. meldet sich.

Ü Übungen

Ü2		***alleinerziehend***	single parent	Jacqueline kümmert sich allein um ihren Sohn, sie ist alleinerziehend.
Ü7	*die*	***Wortfamilie**, die Wortfamilien*	word family	Ähnliche Wörter gehören zu einer Wortfamilie.
	die	***Großfamilie**, die Großfamilien*	large family	Auf dem Foto sieht man eine Großfamilie.
	die	***Familienfeier**, die Familienfeiern*	family celebration	Auf dem Foto sieht man eine Familienfeier.
	die	***Feier**, die Feiern*	celebration	Auf dem Foto sieht man eine Großfamilie bei einer Feier.
Ü12a	*der*	***Dialogabschnitt**, die Dialogabschnitte*	dialogue segment	Ordnen Sie den Fotos die Dialogabschnitte zu.
Ü12b	*die*	***Studentenzeit***	student days	Das Foto ist aus meiner Studentenzeit.
	der	***Hippie**, die Hippies*	hippy	Wir waren richtige Hippies.
	der	***Schulfreund**, die Schulfreunde*	school friend (m)	Er hatte ein Treffen mit alten Schulfreunden.
	die	***Schulfreundin**, die Schulfreundinnen*	school friend (f)	Das ist eine alte Schulfreundin.
Ü13a	*das*	***Theatercafé**, die Theatercafés*	theatre cafe	Wir feiern im Theatercafé.

	die	***Taufe**, die Taufen*	baptism	Die Taufe ist am Sonntag in der Peterskirche in Wien.
	der	***Einzug***	moving in	Am Sonntag feiern wir unseren Einzug.
	das	***Standesamt**, die Standesämter*	registry office	Wir heiraten am 23.10.2015 im Standesamt München.
		Sehr geehrter/Sehr geehrte	Dear	Sehr geehrter Herr Beerbaum/Sehr geehrte Frau Beerbaum
		Mit freundlichen Grüßen	with best regards	Mit freundlichen Grüßen, Franzi Müller
Ü16	die	***Lebensform**, die Lebensformen*	lifestyle	In Deutschland gibt es verschiedene Lebensformen.
Ü16b		***einsam***	lonely	Christine ist oft einsam.
		***zusammenwohnen**, sie wohnen zusammen, sie haben zusammengewohnt*	(to) live together	Andy und Rafael wohnen zusammen.
Ü19		***grau-weiß***	grey-white	Luci hat ein grau-weißes Fell.
	das	***Fell**, die Felle*	fur	Luci hat ein grau-weißes Fell.
	die	***Pfote**, die Pfoten*	paw	Luci hat weiße Pfoten.

3 Unterwegs

	***äußern**, er äußert, er hat geäußert*	(to) express	eine Vermutung äußern
die	***Zugfahrt**, die Zugfahrten*	train trip	eine Zugfahrt organisieren
der	**Reisepass**, die Reisepässe	passport	Auf dem Foto gibt es keinen Reisepass.
die	***Zahnbürste**, die Zahnbürsten*	toothbrush	Ich nehme auf Reisen immer eine Zahnbürste mit.
der	***Autoschlüssel**, die Autoschlüssel*	car key	Auf dem Foto sehe ich einen Autoschlüssel.
der	***Reiseführer**, die Reiseführer*	travel guide	In ihrer Tasche ist ein Reiseführer.
der/das	***Kaugummi**, die Kaugummis*	chewing gum	Neben dem Geldbeutel liegen Kaugummis.
das	**Portemonnaie**, die Portemonnaies	wallet	Auf dem Foto gibt es ein Portemonnaie.
die	***Handcreme**, die Handcremes*	hand cream	Auf dem Foto sehe ich eine Handcreme.

der **Regenschirm**, die Regenschirme — umbrella — In ihrer Tasche ist kein Regenschirm.

1 Eine Reise machen

1.1

das ***Tablet**, die Tablets* — tablet — Auf dem Foto sehe ich ein Tablet.

der **Stadtplan**, die Stadtpläne — city map — Auf dem Foto gibt es einen Stadtplan.

die **Sonnenbrille**, die Sonnenbrillen — sunglasses — Im Koffer ist eine Sonnenbrille.

der ***Messekatalog**, die Messekataloge* — trade fair catalogue — Sie nimmt einen Messekatalog mit.

der **Katalog**, die Kataloge — catalogue — Sie nimmt einen Katalog mit.

die **Postkarte**, die Postkarten — postcard — Auf dem Foto gibt es eine Postkarte.

der ***Flyer**, die Flyer* — flyer — In der Tasche ist ein Flyer.

der ***Messeausweis**, die Messeausweise* — trade fair ID — Auf dem Foto sehe ich einen Messeausweis.

das ***Smartphone**, die Smartphones* — smart phone — In der Tasche ist ein Smartphone.

	die ***Visitenkarte****, die Visitenkarten*	business card	Sie hat Visitenkarten im Portemonnaie.
	der ***Museumskatalog****, die Museumskataloge*	museum catalogue	Er hat einen Museumskatalog im Koffer.
1.2	***beruflich***	on business	Er ist beruflich gereist.
	das **Verkehrsmittel**, die Verkehrsmittel	means of transportation	Sie haben verschiedene Verkehrsmittel benutzt.
	die ***Geschäftsreise****, die Geschäftsreisen*	business trip	Sie hat eine Geschäftsreise gemacht.
	wahrscheinlich	probably	Wahrscheinlich ist er mit dem Zug gefahren.
1.4	**selten**	seldom	Ich nehme auf Reisen selten einen Computer mit.

2 Eine Reise planen und buchen

2.1b	**hin**	there	Ich fahre am 23. August hin.
	zurück	back	Ich fahre am 23. August hin und am 30. August zurück.
	die **Klasse**, die Klassen	class	Ich fahre 2. Klasse.

	bar	cash	Zahlen Sie bar?
die	**Verbindung**, die Verbindungen	connection	Das ist Ihre Verbindung.
	umsteigen, er steigt um, er ist umgestiegen	(to) change trains	In Hamburg müssen Sie umsteigen.
	abfahren, er fährt ab, er ist abgefahren	(to) depart	Der Zug fährt um 11 Uhr in Hannover ab.
	planmäßig	according to schedule	Der Zug ist planmäßig um 13 Uhr in Amsterdam.
die	**Umsteigezeit**, die Umsteigezeiten	time to change trains	Sie haben zehn Minuten Umsteigezeit.
	ankommen, er kommt an, er ist angekommen	(to) arrive	Der Zug kommt um 17 Uhr in Berlin an.
der	**Sitzplatz**, die Sitzplätze	seat	Soll ich Sitzplätze reservieren?
die	**Fahrkarte**, die Fahrkarten	ticket	Was kosten die Fahrkarten?
	ausdrucken, er druckt aus, er hat ausgedruckt	(to) print	Sie druckt die Verbindung aus.
2.1c	***recherchieren**, er recherchiert, er hat recherchiert*	(to) research	Recherchieren Sie die Verbindung im Internet.

	der	**Preis**, die Preise	price	Notieren Sie den Preis.
2.2a	*die*	***Abflugzeit**, die Abflugzeiten*	departure time	Notieren Sie die Abflugzeit.
	der	**Hinflug**, die Hinflüge	outward flight	Der Hinflug ist am 2. September um 11 Uhr.
	der	**Rückflug**, die Rückflüge	return flight	Der Rückflug ist am 9. September um 16.15 Uhr.
2.3	*der*	***Fernbus**, die Fernbusse*	intercity bus	Seit 2012 kann man innerhalb von Deutschland mit dem Fernbus reisen.
	die	***Busfahrt**, die Busfahrten*	bus trip	Eine Busfahrt kann man im Internet buchen.
		meist	mostly	Eine Busfahrt ist meist billiger als eine Fahrt mit der Bahn.
	die	**Hinfahrt**, die Hinfahrten	departure	Die Hinfahrt ist am 19. August um 19.30 Uhr.
	der	**Fahrschein**, die Fahrscheine	ticket	Ich hätte gerne drei Fahrscheine nach Hamburg.
	der	***Direktflug**, die Direktflüge*	direct flight	Ist das ein Direktflug?
	die	**Reservierung**, die Reservierungen	reservation	Ich möchte eine Reservierung, bitte.
2.4	*das*	***Reisewort**, die Reisewörter*	travel word	die Reisewörter notieren
	die	**Reise**, die Reisen	journey	Ich mache eine Reise.
	der	**Fahrplan**, die Fahrpläne	train schedule	Ich drucke einen Fahrplan aus.

2.5	der	***Reiseplan**, die Reisepläne*	itinerary	Vergleichen Sie die Reisepläne.
		dauern, es dauert, es hat gedauert	(to) last	Welche Reise dauert länger: Flug oder Bahn?
2.6	die	***S-Bahn**, die S-Bahnen*	city train	Wann fährt die S-Bahn nach Deisenhofen?
	das	**Gleis**, die Gleise	track	Von welchem Gleis fährt der Zug ab?
2.7		**aussteigen**, er steigt aus, er ist ausgestiegen	(to) get off	In Deisenhofen musst du aussteigen.
	der	***Fußweg***	walk	Der Fußweg vom Bahnhof dauert zehn Minuten.
	die	***Platzkarte**, die Platzkarten*	seat reservation	Ich habe eine Platzkarte reserviert.
	die	**Notiz**, die Notizen	note	Ich habe mir Notizen zum Reiseplan gemacht.

3 Unterwegs mit dem Zug

3.1a		**sollen**, er soll, er sollte	should	Tommy soll heute noch einmal anrufen.
	die	**Nachricht**, die Nachrichten	message	Ina hat die Nachricht für Tommy notiert.
3.2	die	***Brezel**, die Brezeln*	pretzel	Bring bitte Brezeln mit.
	der	***Keks**, die Kekse*	cookie	Tina soll Kekse mitbringen.

		koffeinfrei	caffeine-free	Ich hätte gerne einen koffeinfreien Kaffee, bitte.
	die	**Tasse**, die Tassen	cup	Ich hätte gerne eine große Tasse Tee, bitte.
	der	***Süßstoff***	sweetener	Haben Sie Süßstoff?
		sofort	immediately	Ich bezahle sofort.
	die	***Quizshow**, die Quizshows*	quiz show	Ist das hier ein Café oder eine Quizshow?
3.4	*der*	***Sketch**, die Sketche*	sketch	Schreiben Sie einen Sketch.
	der	***oder-Sketch**, die oder-Sketche*	"or" sketch	Schreiben Sie einen oder-Sketch und spielen Sie.

4 Gute Fahrt

4.1	*die*	***S-Bahn-Impression**, die S-Bahn-Impressionen*	city-train impression	Sehen Sie das Foto an und beschreiben Sie die S-Bahn-Impression.
4.1b	*der*	***Stillstand***	standstill	Am Bahnhof herrscht Stillstand.
	der	**Neubau**, die Neubauten	modern building	Man sieht links immer diese Neubauten.
		hunderte	hundreds of	Aus hunderten Fenstern sieht man die S-Bahn vor sich.

4.2		***vorbeifahren (an etw.)**, ich fahre an etw. vorbei, ich bin an etw. vorbeigefahren*	(to) travel past	Jeden Morgen fahre ich am Hafen vorbei.
		schauen (aus dem Fenster), ich schaue aus dem Fenster, ich habe aus dem Fenster geschaut	(to) look (out the window)	Ich schaue aus dem Fenster.
4.3	*das*	***Reisegedicht**, die Reisegedichte*	travel poem	Hören Sie die Reisegedichte.
4.3a		**schwierig**	difficult	Ein Maulwurf trifft eine schwierige Entscheidung.
	die	***Entscheidung**, die Entscheidungen*	decision	Ein Maulwurf trifft eine schwierige Entscheidung.
	der	***Maulwurf**, die Maulwürfe*	mole	Ein Maulwurf beschließt zu verreisen.
	die	***Meise**, die Meisen*	chickadee	Zwei Meisen beschlossen zu verreisen.
		***beschließen**, er beschließt, er hat beschlossen*	(to) decide	Zwei Meisen beschlossen zu verreisen.
		verreisen, er verreist, er ist verreist	(to) go on a journey	Ein Maulwurf und zwei Meisen verreisen.
		ob	whether	Ob sie zu Fuß gehen wollen, wissen sie noch nicht.

	die	***Ameise**, die Ameisen*	ant	In Hamburg lebten zwei Ameisen.
		***verzichten**, er verzichtet, er hat verzichtet*	(to) forego	Sie verzichten weise auf den letzten Teil der Reise.
		weise	wise(ly)	Sie verzichten weise auf den letzten Teil der Reise.
	der	**Teil**, die Teile	part	Sie verzichten weise auf den letzten Teil der Reise.
4.4		**vorhaben (etw.)**, er hat etwas vor, er hatte etwas vor	(to) intend	Was haben die Menschen vor?

Ü Übungen

Ü2b		***eins***	one	Ich nehme zwei Portemonnaies mit: eins für Euro und eins für Schweizer Franken.
Ü3	*die*	***Vermutung**, die Vermutungen*	guess	Formulieren Sie Vermutungen.
Ü4b	*die*	***Ärzte-Konferenz**, die Ärzte-Konferenzen*	conference	Samirah war auf einer Ärzte-Konferenz.
	die	***Computer-Messe**, die Computer-Messen*	computer trade show	Samirah hat eine Computer-Messe besucht.

	das	***Gesundheitswesen***	health sector	Samirah war auf einer Messe für Gesundheitswesen.
Ü6b	die	**Mama**, die Mamas	mama	Hallo Nils, hier ist Mama.
	die	***Reiseverbindung***, *die Reiseverbindungen*	travel connection	Ich habe meine Reiseverbindung ausgedruckt.
	der	***Halt***, *die Halts*	stop	Es gibt zwei Halts auf der Reise.
	die	***IC-Fahrkarte***, *die IC-Fahrkarten*	Inter-City ticket	Ich habe die IC-Fahrkarte im Portemonnaie.
Ü9a		***hinfliegen***, *er fliegt hin, er ist hingeflogen*	(to) fly there	Wir fliegen am 25. Januar hin.
		zurückfliegen, er fliegt zurück, er ist zurückgeflogen	(to) fly back	Wir fliegen am 2. Februar zurück.
Ü10a	*die*	***Minibar***, *die Minibars*	minibar	Alle Zimmer haben einen Balkon und eine Minibar.
	der	***Pool***, *die Pools*	pool	Zum Hotel gehört ein Pool.
	der	***Tennisplatz***, *die Tennisplätze*	tennis court	Zum Hotel gehört ein Tennisplatz.
Ü11a	*der*	***Strandurlaub***, *die Strandurlaube*	beach holiday	Wir machen gerne Strandurlaub.

	die	***Rundreise**, die Rundreisen*	tour	Wir machen gerne Rundreisen.
Ü11c	der	***Hotelurlaub**, die Hotelurlaube*	hotel holiday	Tobi und Steffi machen gerne Hotelurlaub.
Ü13c		**zurückfahren**, er fährt zurück, er ist zurückgefahren	(to) travel back	Ich fahre in der ersten Klasse zurück nach Paris.
Ü14a	der	***Kuss**, die Küsse*	kiss	Ich gebe Mia einen Kuss.
Ü16b	der	***Blog**, die Blogs*	blog	Lesen Sie den Blog und beantworten Sie die Fragen.
	der	***Radfahrer**, die Radfahrer*	cyclist (m)	Ich treffe oft Radfahrer.
	die	***Radfahrerin**, die Radfahrerinnen*	cyclist (f)	Ich treffe oft Radfahrerinnen.
	der	***Spaziergänger**, die Spaziergänger*	pedestrian (m)	Die meisten Spaziergänger sind sehr freundlich.
	die	***Spaziergängerin**, die Spaziergängerinnen*	pedestrian (f)	Die meisten Spaziergängerinnen sind sehr freundlich.
Ü17	das	***Zelt**, die Zelte*	tent	Am Abend schlafen sie im Zelt.
	der	***Hundeschlitten**, die Hundeschlitten*	dogsled	Ich fahre mit dem Hundeschlitten durch die Schweiz.

	der	***Abenteuerurlaub**, die Abenteuerurlaube*	adventure holiday	Viele Menschen buchen einen Abenteuerurlaub.

Fit für Einheit 4? Testen Sie sich!

der	***Reisegegenstand**, die Reisegegenstände*	travel object	die Reisegegenstände aufschreiben
der	***Gegensatz**, die Gegensätze*	opposite	die Gegensätze auflisten

Station 1

1 Berufsbilder

1.1	der	***Übersetzer**, die Übersetzer*	translator (m)	Er arbeitet als Übersetzer.
	die	***Übersetzerin**, die Übersetzerinnen*	translator (f)	Sie arbeitet als Übersetzerin.
1.1a	der	***Sprachenservice**, die Sprachenservices*	language service	Sie hat einen Sprachenservice gegründet.

1.1b	die **Geschäftsidee**, *die Geschäftsideen*	business idea	Dann hatte Frau Bachmann eine Geschäftsidee.
	der **Auftrag**, *die Aufträge*	assignment	Manchmal tauscht sie die Aufträge mit anderen Service-Büros.
	das **Masterstudium**, *die Masterstudien*	masters program	Vor zwei Jahren hat sie ihr Masterstudium abgeschlossen.
	der **Integrationskurs**, *die Integrationskurse*	integration course	Sie wollte als Lehrerin in Integrationskursen arbeiten.
	der **Migrant**, *die Migranten*	migrant (m)	In Deutschland gibt es Integrationskurse für Migranten.
	die **Migrantin**, *die Migrantinnen*	migrant (f)	In Deutschland gibt es Integrationskurse für Migrantinnen.
	die **Übersetzung**, *die Übersetzungen*	translation	Sie bietet Übersetzungen in Russisch oder Spanisch an.
	die **Masterarbeit**, *die Masterarbeiten*	masters thesis	Sie korrigiert Masterarbeiten für Studenten an den Hochschulen.
	die **Hochschule**, *die Hochschulen*	college	Sie korrigiert Masterarbeiten für Studenten an den Hochschulen.
	dabei	in the process	Sie lernt dabei sehr viel.

	die **Informationsbroschüre**, *die Informationsbroschüren*	informational brochure	Manchmal schreibt sie Informationsbroschüren für eine Firma.
	das **Text-Design**, *die Text-Designs*	text design	Das Text-Design macht ein Informatikstudent.
	der **Informatikstudent**, *die Informatikstudenten*	information technology student (m)	Das Text-Design macht ein Informatikstudent.
	die **Informatikstudentin**, *die Informatikstudentinnen*	information technology student (f)	Das Text-Design macht eine Informatikstudentin.
	die **Rumänisch-Übersetzung**, *die Rumänisch-Übersetzungen*	Romanian translation	Es gibt auch Fragen nach Rumänisch-Übersetzungen.
	die **Lettisch-Übersetzung**, *die Lettisch-Übersetzungen*	Latvian translation	Es gibt auch Fragen nach Lettisch-Übersetzungen.
	das **Service-Büro**, *die Service-Büros*	service agency	Manchmal tauscht sie die Aufträge mit anderen Service-Büros.
	der **Tausch**	trade	Es gibt eine Internetseite für den Tausch.
1.2	*der* **Wörterbuchauszug**, *die Wörterbuchauszüge*	dictionary extract	Lesen Sie den Wörterbuchauszug.

1.4	die	***Sprachmittlung**, die Sprachmittlungen*	translation and interpretation	Sprachmittlung heißt, dass man Informationen in eine andere Sprache übermittelt.
1.4a		***übermitteln**, er übermittelt, er hat übermittelt*	(to) convey	Sprachmittlung heißt, dass man Informationen in eine andere Sprache übermittelt.
		***dritt**: zu dritt*	in threes	Arbeiten Sie zu dritt.
	der	***Institutsleiter**, die Institutsleiter*	institute director (m)	Der Institutsleiter spricht kein Deutsch.
	die	***Institutsleiterin**, die Institutsleiterinnen*	institute director (f)	Die Institutsleiterin spricht kein Deutsch.
		***fehlen**: Was fehlt Ihnen?*	(to) be the matter	Der Arzt fragt: „Was fehlt Ihnen?“
1.4c	die	***Auswertung**, die Auswertungen*	evaluation	Machen Sie die Auswertung.
	der	***Sprachmittler**, die Sprachmittler*	translator and interpreter (m)	Haben Sie Tipps für Sprachmittler?

	die	***Sprachmittlerin**, die Sprachmittlerinnen*	translator and interpreter (f)	Haben Sie Tipps für Sprachmittlerinnen?

2 Wörter – Spiele – Training

2.2	*das*	***Gedächtnisspiel**, die Gedächtnisspiele*	memory game	Die Gruppe macht ein Gedächtnisspiel.
2.2a		***merken (sich)**, er merkt sich etw., er hat sich etw. gemerkt*	(to) remember	Er merkt sich so viele Gegenstände wie möglich.
2.2c		***herkommen**, er kommt her, er ist hergekommen*	(to) be from	Wo kommt die Person her?
2.3	*die*	***Selbstevaluation**, die Selbstevaluationen*	self-evaluation	Machen Sie eine Selbstevaluation.
		männlich	masculine	Der Vater ist männlich.
		weiblich	feminine	Die Mutter ist weiblich.
2.4	*der*	***Wissenschaftler**, die Wissenschaftler*	scientist (m)	Der Wissenschaftler sagt, lange schlafen macht schlank.

	die	***Wịssenschaftlerin**, die Wissenschaftlerinnen*	scientist (f)	Die Wissenschaftlerin sagt, lange schlafen macht schlank.
		schlạnk	thin	Lange schlafen macht schlank.
		***ạbnehmen**, er nimmt ab, er hat abgenommen*	(to) lose weight	Ich muss abnehmen.
	die	***Kli̲makatastrophe**, die Klimakatastrophen*	climate catastrophe	Die Zeitungen schreiben, die Klimakatastrophe kommt.
2.5	*die*	***Kụrsevaluation**, die Kursevaluationen*	course evaluation	Machen Sie eine Kursevaluation.
	das	**Tẹxt-Spiele**, die Text-Spiele	text game	Wir spielen jetzt ein Text-Spiel.

3 Filmstation

3.1	*das*	***Simulta̲nübersetzen***	simultaneous translating	Die Studenten und Studentinnen studieren Simultanübersetzen.
	das	***Übersẹtzungsbüro**, die Übersetzungsbüros*	translation agency	Die Studenten und Studentinnen arbeiten in einem Übersetzungsbüro.

	die	***Simultanübersetzung**, die Simultanübersetzungen*	simultaneous translation	Die Studenten und Studentinnen üben Simultanübersetzung an der Universität.
3.3	*der*	***Simultanübersetzer**, die Simultanübersetzer*	simultaneous translator (m)	Die Simultanübersetzer arbeiten zu zweit.
	die	***Simultanübersetzerin**, die Simultanübersetzerinnen*	simultaneous translator (f)	Die Simultanübersetzerinnen arbeiten zu zweit.
		anstrengend	demanding	Das Übersetzen ist anstrengend.
3.5a	*der*	***Haustausch***	house swap	Sie machen einen Urlaub mit Haustausch.
3.5c		***komplett***	complete	Sehen Sie den Clip komplett.
	der	***Tauschpartner**, die Tauschpartner*	swap partner (m)	Sie haben einen Tauschpartner gefunden.
	die	***Tauschpartnerin**, die Tauschpartnerinnen*	swap partner (f)	Sie haben eine Tauschpartnerin gefunden.
3.5d		**beobachten**, er beobachtet, er hat beobachtet	(to) observe	den Clip genau hören und beobachten
3.6	*das*	***Skypetelefonat**, die Skypetelefonate*	Skype conversation	Die Familien haben das erste Skypetelefonat.

4 Magazin

	mehrsprachig	multilingual	Die meisten Europäer sind mehrsprachig.
die	***Wissenschaft**, die Wissenschaften*	science	Griechisch war die Sprache der Wissenschaft.
	antik	ancient	Der Anfang der Kultur im modernen Europa liegt im antiken Griechenland.
die	***Lingua Franca***	lingua franca	Latein war lange die Lingua Franca in der Wissenschaft.
der	***Theologe**, die Theologen*	theologian (m)	Alle Theologen haben auf Lateinisch geschrieben.
die	***Theologin**, die Theologinnen*	theologian (f)	Alle Theologinnen haben auf Lateinisch geschrieben.
der	***Philosoph**, die Philosophen*	philosopher (m)	Alle Philosophen haben auf Lateinisch geschrieben.
die	***Philosophin**, die Philosophinnen*	philosopher (f)	Alle Philosophinnen haben auf Lateinisch geschrieben.
die	***Medizin***	medicine	In der Medizin ist Latein heute noch die Fachsprache.
die	***Fachsprache**, die Fachsprachen*	technical language	In der Medizin ist Latein heute noch die Fachsprache.

	damals	then	Die meisten Schüler haben damals Latein gelernt.
	während	during	Während der Antike war Griechisch die Sprache der Wissenschaft.
die	***Kolonialzeit***	colonial era	Während der Kolonialzeit sind viele europäische Sprachen ausgewandert.
	***auswandern**, er wandert aus, er ist ausgewandert*	(to) emigrate	Viele europäische Sprachen sind ins Ausland ausgewandert.
die	***Aristokratie**, die Aristokratien*	aristocracy	Im 17. Jahrhundert war Französisch die Sprache der Aristokratie.
die	***Arbeitssprache**, die Arbeitssprachen*	working language	Englisch ist die wichtigste Arbeitssprache der Europäischen Kommission.
die	***Europäische Kommission***	European commission	Englisch ist die wichtigste Arbeitssprache der Europäischen Kommission.
	Osteuropa	Eastern Europe	In Osteuropa war Russisch die erste Fremdsprache.
	Mitteleuropa	Central Europe	In Mitteleuropa war Russisch die erste Fremdsprache.
	Westeuropa	Western Europe	In Westeuropa war Englisch die erste Fremdsprache.

	Südeuropa	Southern Europe	Junge Menschen in Südeuropa lernen heute mehr Deutsch als früher.
	Südosteuropa	South-eastern Europe	Junge Menschen in Südosteuropa lernen heute mehr Deutsch als früher.
	deutschsprachig	German-speaking	Österreich ist ein deutschsprachiges Land.
der	***Arbeitsmarkt****, die Arbeitsmärkte*	labour market	Die Schweiz ist ein attraktiver Arbeitsmarkt.
die	***Lernhilfe****, die Lernhilfen*	learning tool	Ist Englisch ein Problem oder eine Lernhilfe?
	pro	pro	Es gibt bei allen Themen pro und contra.
	contra	con	Es gibt bei allen Themen pro und contra.
das	***Denglisch***	Denglish	Schluss mit Denglisch!
	verändern (sich)*, er verändert sich, er hat sich verändert*	(to) change	Sprachen leben und verändern sich.
	skandinavisch	Scandinavian	Die skandinavischen Sprachen nehmen schnell englische Wörter auf.
	aufnehmen*, er nimmt auf, er hat aufgenommen*	(to) absorb	Die skandinavischen Sprachen nehmen schnell englische Wörter auf.

der	***Lerner**, die Lerner*	learner (m)	Das ist ein Vorteil für Lerner.
die	***Lernerin**, die Lernerinnen*	learner (f)	Das ist ein Vorteil für Lernerinnen.
	überall	everywhere	Überall in Deutschland findet man englische Wörter.
der	***Imbiss**, die Imbisse*	snack shop	Warum muss ein Imbiss „Snack Point" heißen?
der	***Schuster**, die Schuster*	cobbler (m)	Warum muss ein Schuster „Mister Minit" heißen?
die	***Schusterin**, die Schusterinnen*	cobbler (f)	Sie arbeitet als Schusterin.
	***zerstören**, er zerstört, er hat zerstört*	(to) destroy	Die Sprache zerstört andere Sprachen.
	***aussprechen**, er spricht aus, er hat ausgesprochen*	(to) pronounce	Man weiß nie, wie man diese Wörter aussprechen soll.
die	***Überschrift**, die Überschriften*	title	Man kann neue Überschriften finden.
	***herausfinden**, er findet heraus, er hat herausgefunden*	(to) find out	Man kann herausfinden, worum es geht.

4 Freizeit und Hobby

	positiv	positive	Er reagiert positiv auf die Idee.
	negativ	negative	Er reagiert negativ auf die Idee.
	ausdrücken, *er drückt aus, er hat ausgedrückt*	(to) express	Er kann seine Emotionen gut ausdrücken.
der	**Basketball**, die Basketbälle	basketball	Ich spiele Basketball.
die	**Taucherbrille**, die Taucherbrillen	diving goggles	Für das Schwimmen benutze ich eine Taucherbrille.
die	***Querflöte***, *die Querflöten*	flute	Er spielt Querflöte.
die	***Acrylfarbe***, *die Acrylfarben*	acrylic paint	Er malt gerne mit Acrylfarben.
der	***Pinsel***, *die Pinsel*	paintbrush	Zum Malen braucht er einen Pinsel.
der	***Kopfhörer***, *die Kopfhörer*	headphones	Er hat Kopfhörer auf.
der	***Skihelm***, *die Skihelme*	ski helmet	Beim Skifahren trägt er einen Skihelm.
der	***Tennisschläger***, *die Tennisschläger*	tennis racket	Für diesen Sport braucht man einen Tennisschläger.

	der	***Notenständer**, die Notenständer*	music stand	In ihrem Zimmer steht ein Notenständer.
	der	***Ballettschuh**, die Ballettschuhe*	ballet slipper	Beim Tanzen trägt sie Ballettschuhe.
	die	***Angel**, die Angeln*	fishing rod	In den Urlaub nimmt sie ihre Angel mit.

1 Hobbys

1.1	*der*	***Marathon**, die Marathons*	marathon	Frank läuft Marathon.
		***reiten**, er reitet, er ist geritten*	(to) ride (horses)	Er reitet gerne.
		wandern, er wandert, er ist gewandert	(to) hike	Jens und Ulrike wandern viel.
		***heimwerken**, er heimwerkt, er hat geheimwerkt*	(to) do DIY	Ulrike heimwerkt in ihrer Freizeit.
1.3	***die***	***Lesestrategie, die Lesestrategien***	reading strategy	Texte durch Zahlen verstehen ist eine gute Lesestrategie.
1.3a	*die*	***Zeitungsmeldung**, die Zeitungsmeldungen*	newspaper report	Lesen Sie die Überschriften der Zeitungsmeldungen.

der	***Branchenreport***, *die Branchenreports*	industry report	Der Branchenreport meldet aktuelle Zahlen.
der	***Sportverband***, *die Sportverbände*	athletic club	Fitness-Studios haben mehr Mitglieder als der größte Sportverband.
der	***Fitness-Fan***, *die Fitness-Fans*	fitness fan	Die Fitness-Fans haben zwei Ziele.
die	**Form (etw. in Form bringen)**, er bringt etw. in Form, er hat etw. in Form gebracht	(to) get in shape	Fitness-Fans wollen den Körper in Form bringen.
die	**Fitness**	fitness	Fitness-Fans wollen die Fitness verbessern.
	verbessern, er verbessert, er hat verbessert	(to) improve	Fitness-Fans wollen die Fitness verbessern.
	sicher	surely	Das ist für die Gesundheit sicher nicht zu teuer.
der	***Zermatt-Marathon***	Zermatt marathon	Er ist Sieger im 11. Zermatt-Marathon.
	kenianisch	Kenyan	Das ist der erste kenianische Sieg.
der	***Sieg***, *die Siege*	victory	Das ist der erste kenianische Sieg.

der	***Streckenrekord**, die Strecken-rekorde*	course record	Das ist neuer Streckenrekord.
der	***Schweizer**, die Schweizer*	Swiss (m)	Der Schweizer ist Sieger im 11. Zermatt-Marathon.
die	***Schweizerin**, die Schweize-rinnen*	Swiss (f)	Die Schweizerin ist Siegerin im 11. Zermatt-Marathon.
der	***Sieger**, die Sieger*	winner (m)	Paul ist Sieger im 11. Zermatt-Marathon.
die	***Siegerin**, die Siegerinnen*	winner (f)	Daniela ist Siegerin im 11. Zermatt-Marathon.
die	**Strecke**, die Strecken	course	Für die Strecke brauchte Daniela 3:29 Stunden.
	insgesamt	altogether	Insgesamt waren 1200 Läufer und Läuferinnen am Start.
der	***Läufer**, die Läufer*	runner (m)	Es waren 800 Läufer am Start.
die	***Läuferin**, die Läuferinnen*	runner (f)	Es waren 400 Läuferinnen am Start.
der	***Marathonlauf**, die Marathon-läufe*	marathon	Der Zermatt-Marathon ist der schönste Marathonlauf in Europa.
 1.3b *die*	***Meldung**, die Meldungen*	report	Lesen Sie eine der beiden Meldungen.
1.4 *die*	***Hard-Rock-Band**, die Hard-Rock-Bands*	hard-rock band	Ich spiele Gitarre in einer Hard-Rock-Band.

	die ***Band****, die Bands*	band	Ich spiele Gitarre in einer Band.
	die **Briefmarke**, die Briefmarken	stamp	Ich sammle Briefmarken.

2 Freizeit und Forschung

2.1	*die* ***Zukunftsfragen*** *(Pl.)*	future studies	Die Stiftung für Zukunftsfragen forscht nach.
	nachforschen*, er forscht nach, er hat nachgeforscht*	(to) do research	Die Stiftung für Zukunftsfragen forscht nach.
2.1a	*der* ***Newsletter-Text****, die Newsletter-Texte*	newsletter text	Lesen Sie den Newsletter-Text.
	die ***Forschung***	research	Die Stiftung präsentiert aktuelle Forschung.
	aktuell	current	Die Stiftung präsentiert aktuelle Forschung.
	der ***Freizeit-Monitor***	leisure monitor	Die Stiftung stellt ihren Freizeit-Monitor vor.
	die **Nummer**, die Nummern	number	Fernsehen bleibt die Nummer eins.
	die ***Stiftung****, die Stiftungen*	foundation	Die Stiftung stellt in Berlin ihren Freizeit-Monitor vor.

	vorstellen, er stellt vor, er hat vorgestellt	(to) introduce	Die Stiftung stellt ihren Freizeit-Monitor vor.
	teilnehmen (an etw.), er nimmt an etw. teil, er hat an etw. teilgenommen	(to) take part	Über 4.000 Personen haben an der Studie teilgenommen.
die	***Studie***, *die Studien*	study	Über 4.000 Personen haben an der Studie teilgenommen.
die	***Freizeitaktivität***, *die Freizeitaktivitäten*	leisure activity	Fernsehen und Radiohören sind die beliebtesten Freizeitaktivitäten.
der	***Bundesbürger***, *die Bundesbürger*	German citizen (m)	98% der Bundesbürger sehen regelmäßig fern.
die	***Bundesbürgerin***, *die Bundesbürgerinnen*	German citizen (f)	Viele Bundesbürgerinnen sehen regelmäßig fern.
	regelmäßig	regularly	98 % der Bundesbürger sehen regelmäßig fern.
	unterhalten (sich), sie unterhalten sich, sie haben sich unterhalten	(to) talk	Sie wollen sich am Abend vor dem Fernseher unterhalten.
	elektronisch	electronic	Sehr beliebt sind auch die elektronischen Freizeitmedien.

das	**Freizeitmedium**, die Freizeitmedien	entertainment media	Sehr beliebt sind auch die elektronischen Freizeitmedien.
das	**Computerspiel**, die Computerspiele	computer game	Computerspiele sind sehr beliebt.
das	**Internet**	internet	Das Internet ist sehr beliebt.
der	**Alltag**	day-to-day life	Der Alltag ist stressig.
	stressig	stressful	Der Alltag ist stressig.
	***ausschlafen**, er schläft aus, er hat ausgeschlafen*	(to) sleep in	Die Leute wollen ausschlafen.
die	***Erholung***	(to) relax	Die Leute wünschen sich mehr Zeit zur Erholung.
	sozial	social	Die Leute wünschen sich mehr Zeit für soziale Kontakte.
	hektisch	hectic	In der hektischen Medienwelt nimmt der Wunsch nach Ruhe zu.
die	***Medienwelt***	media world	In der hektischen Medienwelt nimmt der Wunsch nach Ruhe zu.
die	***Wellness***	wellness	Wellness ist im Trend.

	***fortsetzen (sich)**, er setzt sich fort, er hat sich fortgesetzt*	(to) continue	Ein Trend setzt sich fort.
	auf der einen Seite … auf der anderen Seite	on the one hand … on the other hand	Auf der einen Seite gibt es mehr Freizeitangebote, auf der anderen Seite müssen die Menschen aber sparen.
das	***Freizeitangebot**, die Freizeitangebote*	leisure opportunity	Es gibt mehr Freizeitangebote.
	sparen, er spart, er hat gespart	(to) save	Die Menschen müssen sparen.
das	**Schwimmbad**, die Schwimmbäder	swimming pool	Immer mehr Deutsche gehen lieber ins Schwimmbad als in den Aquapark.
der	***Aquapark**, die Aquaparks*	water park	Immer mehr Deutsche gehen lieber ins Schwimmbad als in den Aquapark.
das	***Freizeitvergnügen***	leisure enjoyment	Freizeitvergnügen muss nicht immer Geld kosten.
2.2 das	**Interesse**, die Interessen	interest	über Hobbys und Interessen sprechen

	gern: am liebsten	with pleasure: most preferably	Ich gehe am liebsten schwimmen.
2.3	die **Politik**	politics	Ich interessiere mich für Politik.
2.5a	**umziehen (sich)**, er zieht sich um, er hat sich umgezogen	(to) change clothes	Danach ziehe ich mich um.
	nach Hause	home	Abends fahre ich nach Hause.
	***schminken (sich)**, sie schminkt sich, sie hat sich geschminkt*	(to) make oneself up	Vor dem Ausgehen schminkt sie sich.
	rasieren (sich), er rasiert sich, er hat sich rasiert	(to) shave	Vor dem Ausgehen rasiert er sich.
	***eincremen (sich)**, er cremt sich ein, er hat sich eingecremt*	(to) put cream on	Nach dem Duschen cremt er sich ein.
	***abtrocknen (sich)**, er trocknet sich ab, er hat sich abgetrocknet*	(to) dry oneself	Nach dem Duschen trocknet sie sich ab.
2.6	***reflexiv***	reflexive	Lernen Sie die reflexiven Verben mit Präpositionen.

2.6a	das	**Gehịrn**, die Gehirne	brain	Das Gehirn liebt Paare.
2.7		***surfen***, *er surft, er ist gesurft*	surfing	Surfen ist gesund, aber teuer.
		ụngesund	unhealthy	Computerspiele sind ungesund und teuer.

3 Leute kennenlernen? Im Verein!

3.1	*das*	***Vereinsleben***	club life	Wir sprechen über das Vereinsleben.
	das	***Logo***, *die Logos*	logo	Sehen Sie die Logos an.
	der	**Verein**, die Vereine	club	In Vereinen lernt man schnell Leute kennen.
		betreiben, *er betreibt, er hat betrieben*	(to) pursue	Die Mitglieder betreiben ihr Hobby.
	das	**Fẹst**, die Feste	party	Sie feiern auch Feste zusammen.
		renovieren, *er renoviert, er hat renoviert*	(to) renovate	Die Mitglieder renovieren das Vereinsheim.
	der	***Kạrneval***	Carnival	Die Mitglieder im Karnevalsverein feiern gerne Karneval.
3.1	*der*	***Reitverein***, *die Reitvereine*	riding club	Ich möchte in einen Reitverein gehen.

der	**Tennisverein**, *die Tennisvereine*	tennis club	Ich möchte in einen Tennisverein gehen.
der	**Wanderverein**, *die Wandervereine*	hiking club	Ich möchte in einen Wanderverein gehen.
der	**Sportclub**, *die Sportclubs*	sports club	Geh doch in den Sportclub.
der	**Kunstverein**, *die Kunstvereine*	art club	Er möchte in einen Kunstverein gehen.
	malen, er malt, er hat gemalt	(to) paint	Ich male gern.
der	**Auto-Fan**, *die Auto-Fans*	car enthusiast	Ich bin ein Auto-Fan.
der	**Gesangsverein**, *die Gesangsvereine*	singing club	Arbeiter haben in Deutschland Gesangsvereine gegründet.
der	**Turnverein**, *die Turnvereine*	gymnastic club	Im 19. Jahrhundert haben Arbeiter Turnvereine gegründet.
	gründen, *er gründet, er hat gegründet*	(to) found	Im 19. Jahrhundert haben Arbeiter Turnvereine gegründet.
	politisch	political	Politische Vereine waren verboten.
	verbieten, *er verbietet, er hat verboten*	(to) ban	Politische Vereine waren verboten.

	***engagieren (sich)**, er engagiert sich, er hat sich engagiert*	(to) involve oneself	In Vereinen engagieren sich nicht nur Sportler.
der	***Interessenverein**, die Interessenvereine*	special-interest club	Es gibt auch Interessenvereine.
der	***Kaninchenzüchter**, die Kaninchenzüchter*	rabbit breeder (m)	Es gibt auch Interessenvereine, z. B. für Kaninchenzüchter.
die	***Kaninchenzüchterin**, die Kaninchenzüchterinnen*	rabbit breeder (f)	Es gibt auch Interessenvereine, z. B. für Kaninchenzüchterinnen.
der	***Naturschützer**, die Naturschützer*	conservationist (m)	Es gibt auch Interessenvereine, z. B. für Naturschützer.
die	***Naturschützerin**, die Naturschützerinnen*	conservationist (f)	Es gibt auch Interessenvereine, z. B. für Naturschützerinnen.
3.3 der	**Einwohner**, die Einwohner	inhabitant (m)	Im Dorf gibt es 1700 Einwohner und Einwohnerinnen.
die	**Einwohnerin**, die Einwohnerinnen	inhabitant (f)	Im Dorf gibt es 1700 Einwohner und Einwohnerinnen.
	mindestens	at least	Alle aus der Familie waren in mindestens zwei Vereinen.

der	***Tischtennisverein**, die Tischtennisvereine*	table-tennis club	Der Sohn war im Tischtennisverein.
das	**Tischtennis**	table tennis	Der Sohn spielt gerne Tischtennis.
der	***Radsportclub**, die Radsportclubs*	cycling club	Der Vater war bei der Feuerwehr und im Radsportclub.
der	***Radsport***	cycling	Der Vater macht gerne Radsport.
der	***Gartenbauverein**, die Gartenbauvereine*	horticulture club	Der Opa war im Gartenbauverein.
der	***Gartenbau***	horticulture	Der Opa interessiert sich für Gartenbau.
der	***Kaninchenzuchtverein**, die Kaninchenzuchtvereine*	rabbit-breeding club	Der Opa war im Kaninchenzuchtverein.
die	***Kaninchenzucht***	rabbit breeding	Der Opa interessiert sich für Kaninchenzucht.
	verbringen, er verbringt, er hat verbracht	(to) spend (time)	Sie haben viel Zeit mit den Leuten im Verein verbracht.
	niemand	nobody	Oft war abends niemand zu Hause.
das	***Reitturnier**, die Reitturniere*	riding competition	Gehe ich mit zum Reitturnier oder zum Radrennen?
das	**Turnier**, die Turniere	competition	Am Wochenende findet ein Turnier statt.

das ***Chorsingen*** — choral singing — Gehe ich mit zum Chorsingen?

das ***Radrennen****, die Radrennen* — cycle race — Gehe ich mit zum Radrennen?

kümmern (sich um etw./jmdn.), er kümmert sich, er hat sich gekümmert — (to) concern oneself with — Viele kümmern sich nach der Arbeit mehr um die Familie.

vereinsverrückt — club-crazy — Ich glaube, die Deutschen sind vereinsverrückt.

das ***Billard*** — billiards — Als ich in Deutschland war, habe ich Billard im Pool-Billard-Club gespielt.

der ***Pool-Billard-Club****, die Pool-Billard-Clubs* — billiard club — Als ich in Deutschland war, habe ich Billard im Pool-Billard-Club gespielt.

der ***Sportverein****, die Sportvereine* — sport club — Im Sportverein gab's Jazz-Tanz.

der ***Jazz-Tanz*** — jazz dance — Im Sportverein gab's Jazz-Tanz.

4 Das (fast) perfekte Wochenende

4.1 *der* ***Montagmorgen*** — Monday morning — Am Montagmorgen reden alle über das Wochenende.

4.1a	das **Ende**: zu Ende	finish (doing sth.)	Ich habe mein Buch zu Ende gelesen.
	das **Spiel**, die Spiele	game	Wir haben das Spiel gegen den FC Schwabhausen verloren.
	wütend	angry	Mann, war ich wütend.
	hey	hey	Hey Peter!
	putzen, er putzt, er hat geputzt	(to) clean	Andreas hat die Wohnung geputzt.
4.1b	*die* ***Reaktion****, die Reaktionen*	reaction	Das ist eine positive Reaktion.
	furchtbar	terrible	Das Spiel war furchtbar.
	die **Katastrophe**, die Katastrophen	catastrophe	Das Spiel war eine Katastrophe.
	wieso	how come	Wieso das denn?
	erzählen, er erzählt, er hat erzählt	(to) tell	Erzähl mal!
	echt	really	Echt, war das wirklich so schlimm?
	peinlich	embarrassing	Die Niederlage war peinlich.

	geben (Das gibt's doch gar nicht!)	no way!	Das gibt's doch gar nicht!
der	***Biergarten**, die Biergärten*	beer garden	Wir waren in der Frauenkirche und im Biergarten.
	vorstellen *(sich etw.), er stellt sich etw. vor, er hat sich etw. vorgestellt*	(to) imagine	Das kann ich mir vorstellen.
4.2 *die*	***Emotion**, die Emotionen*	emotion	Es gibt viele verschiedene Emotionen.
	traurig	sad	Wenn ich traurig bin, weine ich manchmal.
	aufgeregt	excited(ly)	An meinem Geburtstag bin ich immer sehr aufgeregt.
	gelangweilt	bored	Ich war sehr gelangweilt bei dem Film.
	erfreut	delighted(ly)	Ich bin sehr erfreut, Sie kennenzulernen.
	reden, er redet, er hat geredet	(to) talk	Wir reden.
	ständig	continuous(ly)	Er redet ständig.
	wovon	about what	Wovon redet er?
	nichts	nothing	Er redet von nichts.

4.3	*der*	***Ausruf**, die Ausrufe*	exclamation	Setzen Sie die passenden Ausrufe ein.
4.3a	*die*	***Spinne**, die Spinnen*	spider	In meinem Bett ist eine Spinne.
	das	***Lotto***	lottery	Wir haben im Lotto gewonnen.
		***gewinnen**, er gewinnt, er hat gewonnen*	(to) win	Wir haben im Lotto gewonnen.
4.3b	die	**Lösung**, die Lösungen	answer	Kontrollieren Sie die Lösung.
4.4	*das*	***Japanisch***	Japanese	Das ist ein Ausruf auf Japanisch.
4.5	das	**Amt**, die Ämter	government office	Ich ärgere mich oft über die Ämter.
		aufregen (sich), er regt sich auf, er hat sich aufgeregt	(to) get worked up	Ich rege mich manchmal über die Bahn auf.

Ü Übungen

Ü2a	*die*	***Marathon-Zeit**, die Marathon-Zeiten*	marathon time	Die beste Marathon-Zeit von Ulf war 2:40 Stunden.
		fit (sich fit halten)	(to stay) fit	Mit Zumba kann man sich fit halten.

Ü5	*die*	***Newsletter-Information**, die Newsletter-Informationen*	newsletter information	Fassen Sie die Newsletter-Informationen zusammen.
		***zusammenfassen** (etw.), er fasst etw. zusammen, er hat etw. zusammengefasst*	(to) summarise	Er fasst die Informationen zusammen.
	die	***Gartenarbeit**, die Gartenarbeiten*	gardening	Gegen Stress hilft auch Gartenarbeit.
Ü6a	*die*	***Zeitschrift**, die Zeitschriften*	magazine	Jovan liest oft Zeitschriften.
Ü12a	*die*	***Tanzkleidung***	dance wear	Unsere Tanzkleidung hat die Farben der Stadt Köln.
		***entlangfahren**, er fährt entlang, er ist entlanggefahren*	(to) travel along	Wir sind mit dem Fahrrad an der Donau entlanggefahren.
Ü18a		***aus (aus sein)***	dead/off	Mist, mein Handy ist aus.
Ü19a		**zuhören**, er hört zu, er hat zugehört	(to) listen	Manchmal hören die Kinder nicht zu.

5 Medien im Alltag

die	***Mitteilung**, die Mitteilungen*	report	Schreiben Sie eine kurze Mitteilung.
die	**Zeitung**, die Zeitungen	newspaper	Er liest morgens immer die Zeitung.
das	***Grammophon**, die Grammophone*	gramophone	Im Wohnzimmer steht ein Grammophon.
die	***Schallplatte**, die Schallplatten*	record	Mein Vater hat noch viele Schallplatten.
	ägyptisch	Egyptian	Ägyptische Hieroglyphen sind eine alte Schrift.
die	***Hieroglyphe**, die Hieroglyphen*	hieroglyph	Ägyptische Hieroglyphen sind eine alte Schrift.
die	**Digitalkamera**, die Digitalkameras	digital camera	Susanne fotografiert mit einer Digitalkamera.
das	***Notebook**, die Notebooks*	notebook	Auf dem Schreibtisch steht ein Notebook.
die	***Social Media Plattform**, die Social Media Plattformen*	social media platform	Facebook und Twitter sind Social Media Plattformen.
	***bearbeiten**, er bearbeitet, er hat bearbeitet*	(to) edit	Er bearbeitet Fotos am Computer.
das	***MP3**, die MP3s*	MP3	Man kann MP3s aus dem Internet downloaden.

	***downloaden**, er loadet etw. down, er hat etw. downgeloadet*	(to) download	Man kann MP3s aus dem Internet downloaden.
die	**App** *(Application), die Apps*	app	Er kauft Apps für sein Smartphone.
das	***Telefonat**, die Telefonate*	telephone call	Bei der Arbeit führt sie viele Telefonate.
	***führen (ein Telefonat führen)**, er führt ein Telefonat, er hat ein Telefonat geführt*	(to) be on the telephone	Bei der Arbeit führt sie viele Telefonate.
	***ausleihen**, er leiht etw. aus, er hat etw. ausgeliehen*	(to) rent	Im Internet kann man auch Filme ausleihen.

1 „Alte“ Medien – „neue“ Medien

1.2

chatten, er chattet, er hat gechattet	(to) chat	Mit dem Computer chatte ich oft.

2 Medien im Alltag

2.1a	*der* ***Ratgebertext****, die Ratgebertexte*	tip text	Lesen Sie den Ratgebertext.
	die ***Manteltasche****, die Manteltaschen*	coat pocket	Er steckt den Brief in die Manteltasche.
	der ***Umschlag****, die Umschläge*	envelope	Er steckt den Brief in den Umschlag.
	die **Adresse**, die Adressen	address	Er schreibt die Adresse auf den Umschlag.
	der **Briefkasten**, die Briefkästen	postbox	Sie laufen an zwei Briefkästen vorbei.
	der ***Absender****, die Absender*	sender (m)	Er schreibt den Absender auf den Umschlag.
	die ***Absenderin****, die Absenderinnen*	sender (f)	Er schreibt die Absenderin auf den Umschlag.
	stecken, er steckt, er hat gesteckt	(to) put	Er steckt den Brief in die Manteltasche.
	die **Post**	post office	Sie laufen an der Post am Bahnhof vorbei.
	unangenehm	unpleasant	Der Brief war unangenehm.
	die **Antwort**, die Antworten	answer	Seine Antwort: Weil wir sie vergessen wollen.
	das **Vergessen**	oblivion	Wir kennen den Grund für das Vergessen nicht.

		kleben, er klebt, er hat geklebt	(to) stick	Er klebt die Briefmarke auf den Umschlag.
2.1b		***aufkleben***, *er klebt auf, er hat aufgeklebt*	(to) stick on	Er klebt die Briefmarke auf den Umschlag.
		vorbeilaufen *(an etw.), er läuft an etw. vorbei, er ist an etw. vorbeigelaufen*	(to) walk past	Er läuft an der Post am Bahnhof vorbei.
		ausziehen (etw.), er zieht (etw.) aus, er hat (etw.) ausgezogen	(to) take off	Abends zieht er den Mantel aus.
		einwerfen, er wirft ein, er hat eingeworfen	(to) throw in	Er hat den Brief nicht eingeworfen.
2.3	die	**Telefonnummer**, die Telefonnummern	telephone number	Ich habe schon oft eine Telefonnummer vergessen.
	das	**Passwort**, die Passwörter	password	Ich kann mir das Passwort nicht merken.
2.4a	*die*	***Grafik***, *die Grafiken*	graphic	Lesen Sie die Grafik.
	die	***Funktion***, *die Funktionen*	function	Welche Funktionen deines Smartphones nutzt du täglich?

	nutzen, er nutzt, er hat genutzt	(to) use	Er nutzt viele Funktionen seines Smartphones täglich.
	mehrmals	repeatedly	Welche Funktionen deines Smartphones nutzt du mehrmals die Woche?
die	***SMS***, *die SMS*	SMS	Er schreibt eine SMS.
	schicken, er schickt, er hat geschickt	(to) send	Ich schicke täglich viele SMS.
	werden, er wird, er wurde	(to) be done (passive)	Er wurde mehrmals am Tag angerufen.
die	***Weckfunktion***, *die Weckfunktionen*	alarm function	Die Weckfunktion brauche ich nicht.
die	***Community***, *die Communitys*	community	Ich nutze Communities über mein Handy.
die	***Kalenderfunktion***, *die Kalenderfunktionen*	calendar function	Die Kalenderfunktion nutze ich manchmal.
das	***Handyspiel, die Handyspiele***	cellphone game	Ich spiele keine Handyspiele.
die	***Servicemeldung***, *die Servicemeldungen*	service message	Ich rufe selten Servicemeldungen mit dem Handy ab.

der	**Verkehr**	traffic	Über mein Handy erhalte ich Meldungen über den Verkehr.
	abrufen, *er ruft ab, er hat abgerufen*	(to) access	Ich rufe selten Servicemeldungen mit dem Handy ab.
das	***Video**, die Videos*	video	Ich gucke Videos im Internet an.
	verschicken, er verschickt, er hat verschickt	(to) send	Ich verschicke keine E-Mails.
der	***Newsticker**, die Newsticker*	NewsTicker	Ich bekomme einen Newsticker über das Handy.
das	***Navigationssystem**, die Navigationssysteme*	navigation system	Ich nutze mein Handy als Navigationssystem.
2.4b	***simsen**, er simst, er hat gesimst*	(to) text	Eine SMS schreiben heißt jetzt simsen.
der	**Arbeitskollege**, die Arbeitskollegen	colleague (m)	Er will sich mit seinem Arbeitskollegen treffen.
die	**Arbeitskollegin**, die Arbeitskolleginnen	colleague (f)	Er will sich mit seiner Arbeitskollegin treffen.
	***besprechen (etw. mit jmdm.)**, er bespricht etw., er hat etw. besprochen*	(to) discuss	Er will etwas mit seinem Arbeitskollegen besprechen.

der	**Schatz**, die Schätze (hier: Kosename)	treasure *(term of endearment)*	Um 8 am Kino, Schatz?
der	***Vorschlag**, die Vorschläge*	suggestion	Ich habe einen guten Vorschlag.
die	***Erinnerung**, die Erinnerungen*	reminder	Ich habe dir einen Erinnerung geschrieben.
der	***Abschied**, die Abschiede*	dismissal	Der Abschied war sehr traurig.
	Bis gleich!	See you soon!	Tschüss, bis gleich!
	nachher (Bis nachher!)	See you later!	Tschüss, bis nachher!
2.5b	**halten**, er hält, er hat gehalten	(to) hold	Sie hält seine Hand.

3 Unterwegs im Internet

3.1 die	**Stelle**, die Stellen	position	An zweiter Stelle folgt die Unterhaltungselektronik.
die	***Unterhaltungselektronik***	entertainment electronics	An zweiter Stelle folgt die Unterhaltungselektronik.
die	**Videokamera**, die Videokameras	video camera	Videokameras werden häufig online gekauft.

	häufig	often	Videokameras werden häufig online gekauft.
der	***Laden***, *die Läden*	shop	Digitalkameras werden auch häufig im Laden gekauft.
die	**Bestellung**, die Bestellungen	order	In Deutschland werden viele Bestellungen im Internet gemacht.
der	***Internetkäufer***, *die Internetkäufer*	online consumer (m)	Die Bestellung von Reisen ist bei Internetkäufern beliebt.
die	***Internetkäuferin***, *die Internetkäuferinnen*	online consumer (f)	Die Bestellung von Reisen ist bei Internetkäuferinnen beliebt.
der	***Computernutzer***, *die Computernutzer*	computer user (m)	Fast die Hälfte der Computernutzer informiert sich im Internet.
die	***Computernutzerin***, *die Computernutzerinnen*	computer user (f)	Fast die Hälfte der Computernutzerinnen informiert sich im Internet.
	passend	suitable	Die Computernutzer suchen nach passenden Reiseangeboten.
das	***Reiseangebot***, *die Reiseangebote*	travel offer	Die Computernutzer suchen nach passenden Reiseangeboten.

die	***Kreditkartennummer**, die Kreditkartennummern*	credit-card number	Ist die Kreditkartennummer im Netz wirklich sicher?
das	**Netz**	net (internet)	Ist die Kreditkartennummer im Netz wirklich sicher?
	hauptsächlich	mainly	Was kaufen Sie hauptsächlich im Internet ein?
	elektrisch	electric	Ich kaufe elektrische Haushaltsgeräte im Internet.
das	***Haushaltsgerät**, die Haushaltsgeräte*	electrical appliance	Ich kaufe elektrische Haushaltsgeräte im Internet.
die	**Kleidung**	clothing	Viele Menschen kaufen Kleidung im Internet.
das	***Accessoire**, die Accessoires*	accessory	Viele Menschen kaufen Accessoires im Internet.
die	***Hotelübernachtung**, die Hotelübernachtungen*	hotel accommodation	Ich buche manchmal Hotelübernachtungen im Internet.
die	***Eintrittskarte**, die Eintrittskarten*	ticket	Ich kaufe Eintrittskarten im Internet.
die	***Konzertkarte**, die Konzertkarten*	concert ticket	Ich kaufe Konzertkarten im Internet.
die	***Kosmetik**, die Kosmetika*	cosmetics	Meine Schwester bestellt Kosmetik im Internet.

der	***Toilettenartikel**, die Toilettenartikel*	toiletry	Meine Schwester bestellt auch Toilettenartikel im Internet.
das	**Möbel**, die Möbel	furniture	7,9 % der Deutschen kaufen Möbel im Internet.
die	***Deko (Dekoration)**, die Dekos*	ornament	7,9 % der Deutschen kaufen Deko im Internet.
das	***Lebensmittel**, die Lebensmittel*	food	Nur 3,7 % der Deutschen kaufen Lebensmittel im Internet.
3.2 das	**Interview**, die Interviews	interview	Hören Sie die drei Interviews und ordnen Sie zu.
der	***Interviewpartner**, die Interviewpartner*	interview partner (m)	Der Interviewpartner hat einen Flug gebucht.
die	***Interviewpartnerin**, die Interviewpartnerinnen*	interview partner (f)	Die Interviewpartnerin hat einen Flug gebucht.
der	***Informatiker**, die Informatiker*	IT specialist (m)	Der Informatiker bestellt oft Software im Internet.
die	***Informatikerin**, die Informatikerinnen*	IT specialist (f)	Die Informatikerin bestellt oft Software im Internet.
das	**Online-Einkaufen**	online shopping	Die Interviewpartnerin findet Online-Einkaufen praktisch.
	praktisch	practical	Die Interviewpartnerin findet Online-Einkaufen praktisch.

	die **Buchung**, die Buchungen	reservation	Er hatte Probleme mit einer Buchung im Internet.
3.3a	*die* ***Definition**, die Definitionen*	definition	die Definitionen lesen
	das ***Skype***	Skype	Er hat mit Skype telefoniert.
	per	by	Sie sagt per Klick, dass sie etwas mag.
	der ***Klick**, die Klicks*	click	Sie sagt per Klick, dass sie etwas mag.
	das ***Internetforum**, die Internetforen*	internet forum	Er schreibt eine Nachricht in einem Internetforum.
	***mailen**, er mailt, er hat gemailt*	(to) email	Er mailt seiner Freundin.
	***googeln**, er googelt, er hat gegoogelt*	(to) google	Sie googelt eine Frage.
	***posten**, er postet, er hat gepostet*	(to) post	Er postet ein Video bei Facebook.
	***liken**, er likt, er hat gelikt*	(to) like	Sie liked sein Video bei Facebook.
	***bloggen**, er bloggt, er hat gebloggt*	(to) blog	Er hat über die Veranstaltung gebloggt.
	***skypen**, er skypt, er hat geskypt*	(to) skype	Sie skypt viel mit ihrem Freund im Ausland.

4 Wie bitte? Was hast du gesagt?

4.1		***herunterladen**, er lädt herunter, er hat heruntergeladen*	(to) download	Hast du die Software heruntergeladen?
	das	***Internet-Café**, die Internet-Cafés*	internet cafe	Kommst du um drei ins Internet-Café?
4.2	*die*	***indirekte Frage**, die indirekten Fragen*	indirect question	eine indirekte Frage stellen
4.3b	*die*	***Mailbox**, die Mailboxen*	mailbox	Wann hast du die Mailbox abgefragt?
		abfragen, er fragt ab, er hat abgefragt	(to) call up	Wann hast du die Mailbox abgefragt?
	die	**Datei**, die Dateien	data	Hast du die Datei gelöscht?
		***löschen**, er löscht, er hat gelöscht*	(to) delete	Hast du die Datei gelöscht?
		speichern, er speichert, er hat gespeichert	(to) save	Wo hast du den Text gespeichert?
		***weiterleiten**, er leitet weiter, er hat weitergeleitet*	(to) forward	An wen hast du die Email weitergeleitet?

	drucken, er druckt, er hat gedruckt	(to) print	Kannst du den Text drucken?
	eben	just now	Wer hat eben angerufen?
	***abnehmen (etw.)**, er nimmt etw. ab, er hat etw. abgenommen*	(to) take off	Kannst du bitte die Kopfhörer abnehmen?

5 Schnäppchenjagd

	die	***Schnäppchenjagd**, die Schnäppchenjagden*	deal chasing	Er geht bei eBay auf Schnäppchenjagd.
5.1	*der*	***Online-Marktplatz**, die Online-Marktplätze*	online marketplace	eBay ist weltweit der größte Online-Marktplatz.
		gebraucht	used	Dort kann man neue oder gebrauchte Sachen kaufen.
	das	***Schnäppchen**, die Schnäppchen*	deal	Bei eBay kann man nach Schnäppchen suchen.
	die	***eBay-Seite**, die eBay-Seiten*	eBay page	Seit 1999 gibt es eBay-Seiten auf Deutsch.

	die	**Kunst**	art	Man findet dort zum Beispiel Kunst.
		modisch	fashionable	Man findet dort zum Beispiel modische Kleidung.
	der	***Schmuck***	jewellery	Man findet dort zum Beispiel teuren Schmuck.
5.2	das	**Kochbuch**, die Kochbücher	cookbook	Mein Bruder kauft oft interessante Kochbücher.
5.3	*die*	***Reklamation**, die Reklamationen*	complaint	Ich möchte eine Reklamation machen.
5.3b		***reklamieren**, er reklamiert, er hat reklamiert*	(to) register a complaint about	Ich möchte die Kuckucksuhr reklamieren.
	der	***Kuckuck**, die Kuckucks*	cuckoo	Der Kuckuck sagt nichts.
	der	***Kassenzettel**, die Kassenzettel*	receipt	Hier ist der Kassenzettel.
	die	**Garantie**, die Garantien	guarantee	Die Garantie ist für die Uhr, aber nicht für den Kuckuck.
		unglaublich	unbelievable	Das ist ja unglaublich.
		umtauschen (etw.), er tauscht etw. um, er hat etw. umgetauscht	(to) exchange	Ich möchte die Uhr umtauschen.
	der	**Tierarzt**, die Tierärzte	veterinarian (m)	Dann gehen Sie doch zum Tierarzt.

	die	**Tierärztin**, die Tierärztinnen	veterinarian (f)	Dann gehen Sie doch zur Tierärztin.
5.4		**zurückbekommen (etw.)**, er bekommt etw. zurück, er hat etw. zurückbekommen	(to) get back	Bekomme ich das Geld zurück?
5.4		***Vermischtes***	miscellaneous	Unter „Vermischtes" findet man verschiedene Anzeigen.
		verschenken, *er verschenkt, er hat verschenkt*	(to) give away	Ich verschenke ein altes Auto.
	der	***Goldring***, *die Goldringe*	gold ring	Ich verkaufe einen Goldring.
	das	***Karat***, *die Karat(e)*	carat	Ich verkaufe einen Goldring mit 18 Karat.
	die	***Chiffre***, *die Chiffren*	box-number	Angebote bitte an Chiffre AG/4566 senden.
	der	***Heimtrainer***, *die Heimtrainer*	exercise machine	Ich suche einen neuen Heimtrainer.
		wertvoll	valuable	Ich verkaufe eine wertvolle Briefmarkensammlung.
	die	***Briefmarkensammlung***, *die Briefmarkensammlungen*	stamp collection	Ich verkaufe eine wertvolle Briefmarkensammlung.
5.6a	*die*	***Wörterliste***, *die Wörterlisten*	word list	Kontrollieren Sie die Artikel in der Wörterliste.

bieten, er bietet, er hat geboten	(to) offer	Ich biete einen runden Küchentisch für 50 Euro.

Ü Übungen

Ü2a

der ***Volksempfänger**, die Volksempfänger*	NS-era radio	Der Volksempfänger ist billig.
der ***Nationalsozialist**, die Nationalsozialisten*	national socialist (m)	Die Nationalsozialisten kontrollieren das Programm.
die ***Nationalsozialistin**, die Nationalsozialistinnen*	national socialist (f)	Die Nationalsozialistinnen kontrollieren das Programm.
die ***Propaganda***	propaganda	Die Nationalsozialisten nutzen das Radio für ihre politische Propaganda.
der ***Radiosender**, die Radiosender*	radio broadcaster	Seit den 1950er Jahren gibt es viele regionale Radiosender.
das **Fernsehprogramm**, die Fernsehprogramme	television broadcast	1952 sendet man in Deutschland das erste Fernsehprogramm.
der ***Schallplattenspieler**, die Schallplattenspieler*	record player	Seit 1960 gibt es Radios kombiniert mit Schallplattenspielern.

Ü7b	*die*	***Theaterkarte**, die Theaterkarten*	theatre ticket	Paul hat zwei Theaterkarten für morgen Abend.
Ü13a	*das*	***Notebook-Problem**, die Notebook-Probleme*	notebook problem	Daniel hat ein Notebook-Problem.
		***auskennen (sich mit etw.)**, er kennt sich mit etw. aus, er hat sich mit etw. ausgekannt*	(to) know about	Kennst du dich gut mit Computern aus?
Ü17		**stehen**, es steht, es stand	(to) say	Auf dem Kassenzettel steht, dass ich sechs Monate Garantie habe.
Ü18a	*der*	***Anrufbeantworter**, die Anrufbeantworter*	answering machine	Ich verkaufe ein modernes Telefon mit Anrufbeantworter.
Ü18b	der	**Vertrag**, die Verträge	contract	Der Vertrag läuft noch.
		laufen (Vertrag)	(to) be in effect	Der Vertrag läuft noch.
		***hinterlassen**, er hinterlässt, er hat hinterlassen*	(to) leave	Ich hinterlasse ihr eine Nachricht.

Fit für Einheit 6? Testen Sie sich!

die	***Anfrage**, die Anfragen*	inquiry	eine Anfrage machen

6 Ausgehen, Leute treffen

	worauf	what	sagen, worauf man Lust hat
die	**Theaterkasse**, *die Theaterkassen*	theatre box office	Tickets an der Theaterkasse abholen
der	**Spieleabend**, *die Spieleabende*	game night	einen Spieleabend machen
das	**Aquarium**, *die Aquarien*	aquarium	ins Aquarium gehen
die	**Lesung**, *die Lesungen*	reading	eine Lesung besuchen
	wohin	where to	Wohin gehen wir am Wochenende?
das	**Kulturabonnement**, *die Kulturabonnements*	culture subscription	Meine Frau und ich haben ein Kulturabonnement.
das	**Jazz-Festival**, *die Jazz-Festivals*	jazz festival	Im Frühling gibt es immer ein internationales Jazz-Festival.
	hingehen, *er geht hin, er ist hingegangen*	(to) go there	Da gehen wir natürlich hin.
der	**Jazzfan**, *die Jazzfans*	jazz fan	Wir treffen uns mit Freunden, die auch Jazzfans sind.

die	**Menge**, *die Mengen*	lot	Wir haben eine Menge Spaß.
die	***Menge (eine Menge Spaß haben)***, *er hat eine Menge Spaß, er hatte eine Menge Spaß*	(to) have a lot of fun	Wir haben eine Menge Spaß.
der	**Stammtisch**, die Stammtische	regular pub night	Am Donnerstag Abend gehe ich zum Stammtisch.
der	***Skat***	skat	Wir spielen Karten, meistens Skat.
das	***Bierchen***, *die Bierchen*	beer	Wir trinken ein Bierchen oder zwei und unterhalten uns.

1 Ausgehen – nicht nur am Wochenende

1.2	*der*	***Wochenendtipp***, *die Wochenendtipps*	weekend tip	Lesen Sie die Wochenendtipps.
1.4		**gern (ich würde gern)**	with pleasure	Ich würde gern zu Hause bleiben.
	das	***Kartenspiel***, *die Kartenspiele*	card game	Ich habe Lust auf Kartenspiele.
	der	***Jazz-Club***, *die Jazz-Clubs*	jazz club	Ich würde gern in einen Jazz-Club gehen.

		gucken, *er guckt, er hat geguckt*	(to) watch	Ich würde gern eine DVD gucken.

2 Im Restaurant

2.1	das	**Lieblingsrestaurant**, die Lieblingsrestaurants	favourite restaurant	Mein Lieblingsrestaurant ist ein Italiener.
2.2a	*die*	***Sahnehaube***, *die Sahnehauben*	whipped-cream topping	Auf der Speisekarte steht eine Tomatensuppe mit Sahnehaube.
	das	***Bauernbrot***, *die Bauernbrote*	country bread	Es gibt eine Wurstplatte mit Bauernbrot.
	der	***Toast Hawaii***, *die Toasts Hawaii*	Hawaiian toast	Ich mag gerne Toast Hawaii.
	der	***Toast***, *die Toasts*	toast	Ich mag gerne Toast Hawaii.
		überbacken, *er überbackt, er hat überbacken*	au gratin	Toast Hawaii ist Schinken und Ananas auf Toast mit Käse überbacken.
	die	***Ofenkartoffel***, *die Ofenkartoffeln*	baked potato	Es gibt Ofenkartoffeln mit Kräuterquark.

der	***Kräuterquark**, die Kräuterquarks*	herb quark	Es gibt Ofenkartoffeln mit Kräuterquark.
das	***Rumpsteak**, die Rumpsteaks*	rump steak	Ich nehme ein Rumpsteak.
der	***Salatteller**, die Salatteller*	salad plate	Ich nehme einen großen Salatteller mit Putenbruststreifen.
die	***Rindsroulade**, die Rindsrouladen*	beef olive	Es gibt Rindsroulade mit Rotkraut und Klößen.
das	***Rotkraut***	red cabbage	Ich mag kein Rotkraut.
der	***Kloß**, die Klöße*	dumpling	Ich mag keine Klöße.
die	***Fisch-Pfanne**, die Fisch-Pfannen*	pan-fried fish dish	Ich nehme eine Fisch-Pfanne mit Bratkartoffeln.
die	***Bratkartoffel**, die Bratkartoffeln*	fried potato	Ich nehme eine Fisch-Pfanne mit Bratkartoffeln.
der	***Putenbruststreifen**, die Putenbruststreifen*	turkey-breast strip	Ich nehme einen großen Salatteller mit Putenbruststreifen.
	verschiedener, verschiedene, verschiedenes	various	Auf der Speisekarte stehen verschiedene Salate.

der	***Gemüseauflauf**, die Gemüseaufläufe*	vegetable casserole	Es gibt auch Gemüseauflauf.
der/die	**Kleine**, die Kleinen	little one (child)	Für die Kleinen gibt es besondere Gerichte.
das	***Fischstäbchen**, die Fischstäbchen*	fish stick	Kinder mögen gerne Fischstäbchen mit Kartoffelsalat.
der	**Kartoffelsalat**, die Kartoffelsalate	potato salad	Kinder mögen gerne Fischstäbchen mit Kartoffelsalat.
der	***Mickymaus-Teller**, die Mickymaus-Teller*	Mickey Mouse plate	Der Kleine nimmt einen Mickymaus-Teller mit Grillwürstchen.
das	***Grillwürstchen**, die Grillwürstchen*	grilled sausage	Der Kleine nimmt einen Mickymaus-Teller mit Grillwürstchen.
das	***Dessert**, die Desserts*	dessert	Ich habe Lust auf ein Dessert.
der	***Apfelstrudel**, die Apfelstrudel*	apple strudel	Ich mag gerne Apfelstrudel mit Vanilleeis.
das	***Vanilleeis***	vanilla ice-cream	Ich mag gerne Apfelstrudel mit Vanilleeis.
die	***Kirsche**, die Kirschen*	cherry	Ich mag lieber Vanilleeis mit heißen Kirschen.
	alkoholisch	alcoholic	Auf der Speisekarte stehen alkoholische Getränke.

	das	**Fass**, *die Fässer (vom Fass)*	keg (on tap)	Er bestellt ein Bier vom Fass.
2.4a	*die*	**Grilltomate**, *die Grilltomaten*	grilled tomato	Ich hätte gern das Rumpsteak mit Grilltomate.
		vorher	before that	Vorher eine Gulaschsuppe, bitte.
	die	**Gulaschsuppe**, *die Gulaschsuppen*	goulash soup	Vorher eine Gulaschsuppe, bitte.
	das	**Wiener Schnitzel**, *die Wiener Schnitzel*	wiener schnitzel	Für mich das Wiener Schnitzel mit Salat, bitte.
		statt	instead of	Kann ich vielleicht Pommes Frites statt Kartoffelkroketten haben?
	die	**Kartoffelkrokette**, *die Kartoffelkroketten*	potato croquette	Kann ich vielleicht Pommes Frites statt Kartoffelkroketten haben?
2.5	*die*	**Tomatensuppe**, *die Tomatensuppen*	tomato soup	Ich hätte gern eine Tomatensuppe.
	die	**Wurstplatte**, *die Wurstplatten*	sausage platter	Ich hätte gern die Wurstplatte.
2.5		**tschechisch**	Czech	Tschechische Skifreunde fahren zusammen Ski.
	der	**Skifreund**, *die Skifreunde*	ski friend (m)	Tschechische Skifreunde fahren zusammen Ski.
	die	**Skifreundin**, *die Skifreundinnen*	ski friend (f)	Tschechische Skifreundinnen fahren zusammen Ski.

	chinesisch	Chinese	Ich esse frische chinesische Shrimps.
der	***Shrimp***, *die Shrimps*	shrimp	Ich esse frische chinesische Shrimps.
die	***Schokoladenstatistik***, *die Schokoladenstatistiken*	chocolate statistic	Wir lesen die Schweizer Schokoladenstatistik.
die	***Skischule***, *die Skischulen*	ski school	Ich gehe in eine österreichische Skischule.
	portugiesisch	Portuguese	Wir bestellen portugiesische Spezialitäten.
	schwedisch	Swedish	Ich kaufe schwedische Schneeschuhe.
der	***Schneeschuh***, *die Schneeschuhe*	snow-shoe	Ich kaufe schwedische Schneeschuhe.
	beschweren (sich über etw.), *er beschwert sich, er hat sich beschwert*	(to) complain	Ich möchte mich über das Essen beschweren. Es schmeckt nicht.
	salzig	salty	Die Suppe ist zu salzig.
die	**Gabel**, die Gabeln	fork	Können Sie mir noch eine Gabel bringen?
das	**Messer**, die Messer	knife	Können Sie mir noch ein Messer bringen?
der	**Löffel**, die Löffel	spoon	Können Sie mir noch einen Löffel bringen?

	***zurụ̈cknehmen**, er nimmt zurück, er hat zurückgenommen*	(to) take back	Das tut mir leid, ich nehme die Suppe zurück.

3 Rund ums Essen

3.1a	*der **Wọ̈rterbuchausriss**, die Wörterbuchausrisse*	dictionary extract	Lesen Sie den Wörterbuchausriss.
	*der **Stạndard**, die Standards*	standard	Alle Restaurants dieser Kette haben den gleichen Standard.
	das **Prodụkt**, die Produkte	product	In jedem Restaurant bekommt der Gast die gleichen Produkte in der gleichen Qualität.
	*die **Qualität***	quality	In jedem Restaurant bekommt der Gast die gleichen Produkte in der gleichen Qualität.
	*die **Systemgastronomie**, die Systemgastronomien*	food service	Dario ist Fachmann für Systemgastronomie.
3.1b	*die **Restaurant-Kette**, die Restaurant-Ketten*	restaurant chain	Dario hat seine Ausbildung bei einer großen Restaurant-Kette gemacht.

	die	***Produktqualität**, die Produktqualitäten*	product quality	Im Restaurant musste er die Produktqualität kontrollieren.
	der	**Ablauf**, die Abläufe	procedure	Im Büro hat er die Abläufe mitorganisiert.
		***mitorganisieren**, er organisiert mit, er hat mitorganisiert*	(to) take part in organising	Im Büro hat er die Abläufe mitorganisiert.
	die	***Planung**, die Planungen*	planning	Ihm hat die Planung viel Spaß gemacht.
	die	**Organisation**, die Organisationen	organisation	Ihm hat die Organisation viel Spaß gemacht.
		***spezialisieren (sich)**, er spezialisiert sich, er hat sich spezialisiert*	(to) specialise	Er möchte sich spezialisieren.
3.2a	*der/ die*	***Auszubildende**, die Auszubildenden*	trainee	Ein Auszubildender ist ein Mann, der eine Berufsausbildung macht.
	die	***Berufsausbildung**, die Berufsausbildungen*	occupational training	Ein Auszubildender ist ein Mann, der eine Berufsausbildung macht.
	die	***Küchenhilfe**, die Küchenhilfen*	kitchen help	Küchenhilfen helfen dem Koch in der Küche.
3.2b	das	**Flugzeug**, die Flugzeuge	airplane	Ein Pilot fliegt ein Flugzeug.

	der **Restaurantmanager**, *die Restaurantmanager*	restaurant manager (m)	Ein Restaurantmanager organisiert ein Restaurant.
	die **Restaurantmanagerin**, *die Restaurantmanagerinnen*	restaurant manager (f)	Eine Restaurantmanagerin organisiert ein Restaurant.
3.3a	*der* **Gespritzte**, *die Gespritzten*	spritzer	Ein Gespritzter ist ein österreichisches Getränk mit Apfelsaft und Mineralwasser.
	bestehen aus, *er besteht aus, er bestand aus*	(to) consist of	Ein Gespritzter besteht aus Apfelsaft und Mineralwasser.
	der **Restaurantkritiker**, *die Restaurantkritiker*	restaurant critic (m)	Ein Restaurantkritiker testet das Essen im Restaurant.
	die **Restaurantkritikerin**, *die Restaurantkritikerinnen*	restaurant critic (f)	Eine Restaurantkritikerin testet das Essen im Restaurant.
	der **Journalist**, *die Journalisten*	journalist (m)	Ein Journalist schreibt für eine Zeitung.
	die **Journalistin**, *die Journalistinnen*	journalist (f)	Eine Journalistin schreibt für eine Zeitung.
	testen (etw.), *er testet etw., er hat etw. getestet*	(to) test	Ein Restaurantkritiker testet das Essen im Restaurant.
	griechisch	Greek	Ein griechischer Bauernsalat besteht aus Tomaten und Käse.

	der	**Bauernsalat**, *die Bauernsalate*	country salad	Ein griechischer Bauernsalat besteht aus Tomaten und Käse.
	die	**Fliege**, *die Fliegen*	fly	Die Fliege schwimmt in der Suppe.
3.4		***beenden (etw.)****, er beendet etw., er hat etw. beendet*	(to) complete	Sie hat gerade ihre Ausbildung beendet.
	der	**Restaurantskandal**, *die Restaurantskandale*	restaurant scandal	Sie hat einen Restaurantskandal aufgedeckt.
		aufdecken*, er deckt auf, er hat aufgedeckt*	(to) uncover	Sie hat einen Restaurantskandal aufgedeckt.
3.5a		***türkisch***	Turkish	Baklava ist ein türkischer Kuchen.
	das	**Mehl**	flour	Baklava ist ein türkischer Kuchen aus Mehl, Wasser, Nüssen und Zucker.
	die	**Nuss**, *die Nüsse*	nut	Baklava ist ein türkischer Kuchen aus Mehl, Wasser, Nüssen und Zucker.
3.5b	*das*	**Toastbrot**, *die Toastbrote*	sliced white bread	Toast Hawaii besteht aus Toastbrot, Ananas, Schinken und Käse.
	das	**Sushi**, *die Sushis*	sushi	Sushi ist eine japanische Spezialität.
	die	**Spezialität**, *die Spezialitäten*	specialty	Sushi ist eine japanische Spezialität.

das	***Käse-Fondue**, die Käse-Fondues*	cheese fondue	Käse-Fondue ist ein Schweizer Gericht.
der	***Tsatsiki***	tsatsiki	Tsatsiki ist eine griechische Soße aus Joghurt, Gurke und Knoblauch.
die	**Soße**, die Soßen	sauce	Tsatsiki ist eine griechische Soße aus Joghurt, Gurke und Knoblauch.
der	***Knoblauch***	garlic	Tsatsiki ist eine griechische Soße aus Joghurt, Gurke und Knoblauch.
3.5c *die*	***Wiener**, die Wiener*	wiener	Wiener sind zwei Würstchen.
der	***Amerikaner**, die Amerikaner*	black and white cookie	Amerikaner sind ein Gebäck.
der	***Kameruner**, die Kameruner*	knotted doughnut	Was sind Kameruner?
die	***Krakauer**, die Krakauer*	Polish sausage	Krakauer sind Würstchen.

4 Leute kennenlernen

4.2a	die	**Freude (jmdm. eine Freude machen)**, er macht ihr eine Freude, er hat ihr eine Freude gemacht	(to) bring someone joy	Die Kinder haben uns viel Freude gemacht.
4.3	*die*	***Kennenlern-Geschichte**, die Kennenlern-Geschichten*	story about meeting someone	Schreiben Sie Ihre Kennenlern-Geschichte auf.
4.5a		***gehen (um etw.)**, es geht um etw., es ging um etw.*	(to) be about sth.	Es geht um Partnersuche mit dem Computer.
	die	***Partnersuche**, die Partnersuchen*	searching for a partner	Es geht um Partnersuche mit dem Computer.
	die	**Diskussion**, die Diskussionen	discussion	Es geht um Diskussionen mit anderen Computerfans.
	der	***Computerfan**, die Computerfans*	computer fan	Es geht um Diskussionen mit anderen Computerfans.
	die	**Kneipe**, die Kneipen	pub	Es geht um Tipps, wie man Leute in Kneipen kennenlernt.

der ***Traumprinz****, die Traumprinzen*	prince charming	Traumprinz oder Traumprinzessin per Mausklick?
die ***Traumprinzessin****, die Traumprinzessinnen*	dream girl	Traumprinz oder Traumprinzessin per Mausklick?
der ***Mausklick****, die Mausklicks*	mouse click	Traumprinz oder Traumprinzessin per Mausklick?
das ***Wunder****, die Wunder (hier: kein Wunder!)*	miracle	Kein Wunder, dass immer mehr Menschen den Partner fürs Leben im Internet suchen.
der **Partner**, die Partner	partner (m)	Immer mehr Menschen suchen einen Partner im Internet.
die **Partnerin**, die Partnerinnen	partner (f)	Immer mehr Menschen suchen eine Partnerin im Internet.
die ***Kontaktbörse****, die Kontaktbörsen*	contact agency	Das Internet ist die Kontaktbörse Nr. 1.
der **Lebenspartner**, die Lebenspartner	life partner (m)	Über drei Millionen Menschen suchen dort einen Lebenspartner.
die **Lebenspartnerin**, die Lebenspartnerinnen	life partner (f)	Über drei Millionen Menschen suchen dort eine Lebenspartnerin.

	anmelden (sich), *er meldet sich an, er hat sich angemeldet*	(to) register	Jeden Tag melden sich 12.000 neu an.
der	**Experte**, *die Experten*	expert (m)	Der Experte für Online-Singlebörsen rät: Seien Sie ehrlich!
die	**Expertin**, *die Expertinnen*	expert (f)	Die Expertin für Online-Singlebörsen rät: Seien Sie ehrlich!
die	**Online-Singlebörse**, *die Online-Singlebörsen*	online singles dating service	Er ist Experte für Online-Singlebörsen.
	raten, er rät, er hat geraten	(to) advise	Er rät den Nutzern: Seien Sie ehrlich!
	ehrlich	honest	Er rät den Nutzern: Seien Sie ehrlich!
	realistisch	realistic	Schicken Sie realistische Fotos.
der	**Traumpartner**, *die Traumpartner*	dream partner (m)	Man kann seinen Traumpartner nicht nach Alter und Geld im Internet bestellen.
die	**Traumpartnerin**, *die Traumpartnerinnen*	dream partner (f)	Man kann seine Traumpartnerin nicht nach Alter und Geld im Internet bestellen.
das	**Alter**	age	Man kann seinen Traumpartner nicht nach Alter und Geld im Internet bestellen.

		ansprechen, *er spricht an, er hat angesprochen*	(to) address	In der ersten E-Mail soll man den Partner ansprechen.
		beschäftigen (sich mit etw./ jmdm.), *er beschäftigt sich mit ihm, er hat sich mit ihm beschäftigt*	(to) devote one's attention to	Man soll sich mit dem Partner beschäftigen.
	der	**Ex-Mann**, *die Ex-Männer*	ex (m)	Themen wie Ex-Männer sind tabu.
	die	**Ex-Frau**, *die Ex-Frauen*	ex (f)	Themen wie Ex-Frauen sind tabu.
		ernst	serious	Themen wie ernste Probleme sind tabu.
		tabu	taboo	Bestimmte Themen sind in der ersten E-Mail tabu.
	der	**Internet-Flirter**, *die Internet-Flirter*	internet flirter (m)	Vielleicht finden sich die Internet-Flirter auch im richtigen Leben sympathisch.
	die	**Internet-Flirterin**, *die Internet-Flirterinnen*	internet flirter (f)	Vielleicht finden sich die Internet-Flirterinnen auch im richtigen Leben sympathisch.
		sympathisch	nice	Vielleicht finden sich die Internet-Flirter auch im richtigen Leben sympathisch.
4.5c	*der*	**Flirtpartner**, *die Flirtpartner*	flirting partner (m)	So können sich Flirtpartner ein genaues Bild machen.

die	***Flirtpartnerin**, die Flirtpartnerinnen*	flirting partner (f)	So können sich Flirtpartnerinnen ein genaues Bild machen.
das	***Bild (sich ein Bild machen von etw.)**, er macht sich ein Bild von etw., er hat sich ein Bild von etw. gemacht*	(to) get a picture of	So können sich Flirtpartner ein genaues Bild machen.
die	**Augenfarbe**, die Augenfarben	eye colour	Meine Augenfarbe ist braun.
die	**Haarfarbe**, die Haarfarben	hair colour	Meine Haarfarbe ist blond.
das	**Gewicht**, die Gewichte	weight	Mein Gewicht ist 63 Kilo.
die	***Vorliebe**, die Vorlieben*	preference	Meine Vorlieben sind Tanzen, Kochen und Stricken.
4.6a *das*	***Speed-Dating**, die Speed-Datings*	speed dating	Beim Speed-Dating kann man schnell Leute kennenlernen.
	wechseln, er wechselt, er hat gewechselt	(to) change	Danach wechseln sie zu einem neuen Gesprächspartner.
der	***Gesprächspartner**, die Gesprächspartner*	dialogue partner (m)	Sieben Minuten spricht man mit einem Gesprächspartner.
die	***Gesprächspartnerin**, die Gesprächspartnerinnen*	dialogue partner (f)	Sieben Minuten spricht man mit einer Gesprächspartnerin.

das	***Partnerprofil***, *die Partnerprofile*	partner profile	Sie melden sich mit einem Partnerprofil auf einer Internetseite an.
	genug	enough	Es passen genug Partner zu Ihrem Profil.
das	***Profil***, *die Profile*	profile	Es passen genug Partner zu Ihrem Profil.
die	**Szene**, die Szenen	scene	Das Bild zeigt eine Szene aus einem Film.

Ü Übungen

Ü2	der	***Feierabend***, *die Feierabende*	after work	Am Feierabend wollen wir heute in ein Konzert gehen.
Ü2a	die	***Live-Musik***	live music	Meine Kollegen und ich wollen heute Live-Musik hören.
	der	***Kinoabend***, *die Kinoabende*	evening at the cinema	Ich habe heute Lust auf einen ruhigen Kinoabend.
Ü2b	die	***Salsa-Nacht***, *die Salsa-Nächte*	salsa night	Die Salsa-Nacht findet im „Havanna Club" statt.
	die	***Tanzschule***, *die Tanzschulen*	dance school	Die Salsa-Nacht findet in der Tanzschule „Ritter" statt.

Ü4	die	***Führung***, *die Führungen*	lecture	Am Samstag gehe ich zu einer Führung über Japanische Kunst.
	der	***Roman***, *die Romane*	novel	Juli Zeh liest ihren Roman „Nullzeit“.
	das	***Leid***, *die Leiden*	misfortune	Im Theater kommt „Die Leiden des jungen Werther“.
	das	***Quintett***, *die Quintette*	quintet	Das Quintett spielt am Samstag Blues.
Ü6b	die	***Frühlingssuppe***, *die Frühlingssuppen*	spring soup	Ich hätte gern eine Frühlingssuppe und eine Cola.
	die	***Käseplatte***, *die Käseplatten*	cheese-plate	Ich hätte gern eine Käseplatte.
Ü7a	das	***Rindfleisch***	beef	Ich hätte gern Rindfleisch mit Kartoffeln.
	das	***Bratwürstchen***, *die Bratwürstchen*	bratwurst	Ich hätte gern Bratwürstchen mit Sauerkraut.
Ü9a	der	***Gast***, *die Gäste*	guest	Der Gast bestellt Gulaschsuppe.
Ü13a		***bedienen***, *er bedient, er hat bedient*	(to) serve	Der Kellner bedient die Gäste.
	die	***Bäckerei***, *die Bäckereien*	bakery	Als Bäckerin arbeitet Estella in Bäckereien.
Ü15		***indonesisch***	Indonesian	Gado-Gado ist ein indonesisches Essen.

	der	***Rucolasalat**, die Rucolasalate*	arugula salad	Halloumi passt gut zu Rucolasalat.
	die	***Litschi**, die Litschis*	lychee	Die Litschi ist eine Frucht aus Südchina.
	der	***Taco**, die Tacos*	taco	Tacos sind kleine Snacks aus Mexiko.
Ü16a	*der*	***Rucola***	arugula	Das Sandwich macht man aus Käse, Rucola und Tomaten.
Ü16b	*das*	***Lieblingscafé**, die Lieblingscafés*	favourite cafe	In meinem Lieblingscafé gibt es sehr guten Milchkaffee.
Ü17a	*der*	***Chat**, die Chats*	chat	Lesen Sie die Nachrichten im Chat.
	die	***Ansicht, die Ansichten***	view	Es gibt verschiedene Ansichten im Chat.
Ü18		**mitgehen**, er geht mit, er ist mitgegangen	(to) go along	Wir gehen gerne mit ins Theater.

Station 2

1 Berufsbilder

1.1	*der*	***Webdesigner**, die Webdesigner*	web designer (m)	Webdesigner entwickeln Internetseiten.

	die **Wẹbdesignerin**, *die Webdesignerinnen*	web designer (f)	Webdesignerinnen entwickeln Internetseiten.
1.1a	*die* **Su̲chmaschine**, *die Suchmaschinen*	search engine	Die Suchmaschine hilft bei der Recherche nach Informationen.
	die **Recherche**, *die Recherchen*	research	Die Suchmaschine hilft bei der Recherche nach Informationen.
	der **Internetbrowser**, *die Internetbrowser*	internet browser	Der Internetbrowser ist ein Programm.
	der **Internetsurfer**, *die Internetsurfer*	internet surfer (m)	Der Internetsurfer nutzt das Internet und sieht sich Internetseiten an.
	die **Internetsurferin**, *die Internetsurferinnen*	internet surfer (f)	Die Internetsurferin nutzt das Internet und sieht sich Internetseiten an.
	der **Me̲diengestalter**, *die Mediengestalter*	media designer (m)	Der Mediengestalter gestaltet Bücher, Zeitschriften oder Internetseiten.
	die **Me̲diengestalterin**, *die Mediengestalterinnen*	media designer (f)	Die Mediengestalterin gestaltet Bücher, Zeitschriften oder Internetseiten.
	die **Wẹrbeagentur**, *die Werbeagenturen*	advertising agency	Der Mediengestalter arbeitet in Werbeagenturen.

die	***Multime̱dia-Agentur**, die Multimedia-Agenturen*	multimedia agency	Der Mediengestalter arbeitet in Multimedia-Agenturen.
	***gestạlten**, er gestaltet, er hat gestaltet*	(to) design	Die Mediengestalterin gestaltet Bücher, Zeitschriften oder Internetseiten.
der	***Lịnk**, die Links*	link	Die Links verbinden Internetseiten.
das	***Wẹb***	web	Das Web ist ein anderes Wort für Internet.
1.1b *der*	***Sạtzanfang**, die Satzanfänge*	beginning of a sentence	Die Satzanfänge helfen die Aufgaben zusammenzufassen.
	deshạlb	therefore	Ein Webdesigner muss deshalb die Seiten pflegen.
	***stẹllen (ins Internet)**, er stellt, er hat gestellt*	(to) publish (to the internet)	Norbert Arendt stellt Texte, Bilder und Grafiken ins Internet.
die	***Ịnternetsprache**, die Internetsprachen*	internet language	Er braucht für seine Arbeit verschiedene Internetsprachen.
das	***Fạrbdesign**, die Farbdesigns*	colour design	Er entwickelt besonders gern Vorschläge für das Farbdesign.
der	***Fạrbtrend**, die Farbtrends*	colour trend	Farbtrends verändern sich.
	fụnktional	functional	Eine Internetseite muss auch funktional sein.

		***orientieren (sich)**, er orientiert sich, er hat sich orientiert*	(to) find one's way	Die Internetsurfer wollen sich schnell auf der Seite orientieren.
	der	***Surfer**, die Surfer*	surfer (m)	Die Surfer finden nicht, was sie suchen.
	die	***Surferin**, die Surferinnen*	surfer (f)	Die Surferinnen finden nicht, was sie suchen.
		aktualisieren, er aktualisiert, er hat aktualisiert	(to) bring up to date	Norbert Arendt muss die Seiten immer wieder aktualisieren.
1.2		***bewerten**, er bewertet, er hat bewertet*	(to) evaluate	Lesen und bewerten Sie die Internetseite.
1.2b	*die*	***Direktbestellung**, die Direktbestellungen*	direct order	Auf der Internetseite ist eine Direktbestellung möglich.
	die	***Erwachsenenbildung***	adult education	Auf der Internetseite geht es um Erwachsenenbildung.
	der	***Webcode**, die Webcodes*	web code	Man kann sich den Webcode ansehen.
	das	***Login**, die Logins*	login	Über den Login kann man sich einloggen.
	der	***Warenkorb**, die Warenkörbe*	shopping cart	Im Warenkorb kann man Bestellungen sammeln.
		***DaF** (=Deutsch als Fremdsprache)*	German as a second language	Die Seite hat einen Unterrichtsservice für DaF.

	DaZ *(= Deutsch als Zweitsprache)*	German as a second language	Die Seite hat einen Unterrichtsservice für DaZ.
	romanisch	Romanian	Es gibt auch Informationen zu romanischen Sprachen.
das	**DaF-Lehrwerk**, *die DaF-Lehrwerke*	German-as-a-foreign-language coursebook	Man kann DaF-Lehrwerke bestellen.
die	**Alphabetisierung**, *die Alphabetisierungen*	literacy	Man kann sich über Alphabetisierung informieren.
die	**Prüfungsvorbereitung**, *die Prüfungsvorbereitungen*	exam preparation	Es gibt Angebote zur Prüfungsvorbereitung.
die	**Lektüre**, *die Lektüren*	lecture	Man kann auch Lektüren herunterladen.
der	**Unterrichtsservice**, *die Unterrichtsservices*	teaching service	Die Seite hat einen Unterrichtsservice für DaF.
das	**Selbstlernmaterial**, *die Selbstlernmaterialien*	self-learning material	Die Surfer können Selbstlernmaterialien herunterladen.

der	***Einstufungstest***, *die Einstufungstests*	placement test	Die Seite bietet verschiedene Einstufungstests an.
der	***Linktipp***, *die Linktipps*	link tip	Hier finden Sie spannende Lesetexte, Linktipps und vieles mehr.
der	***Veranstaltungshinweis***, *die Veranstaltungshinweise*	event and course notice	Für Surfer gibt es Linktipps und Veranstaltungshinweise.
	vieles	a lot of things	Hier finden Sie spannende Lesetexte, Linktipps und vieles mehr.
die	***Lehrwerksübersicht***, *die Lehrwerksübersichten*	overview of coursebooks	Die komplette Lehrwerksübersicht gibt es mit Klick auf „DaF-Lehrwerke".
der	***Moodle-Kurs***, *die Moodle-Kurse*	Moodle course	Testen Sie hier unsere Moodle-Kurse.
	Moodle	Moodle	Hier kommen Sie zu unserem Moodle Angebot.
	anbieten, er bietet an, er hat angeboten	(to) offer	Wir bieten regelmäßig kostenlose Veranstaltungen an.
die	***Erläuterung***, *die Erläuterungen*	explanation	Wir bieten Erläuterungen zu unserem Lehrwerkskonzept an.
das	***Lehrwerkskonzept***, *die Lehrwerkskonzepte*	course concept	Wir bieten Erläuterungen zu unserem Lehrwerkskonzept an.

	der	***Erfahrungsbericht**, die Erfahrungsberichte*	report from experience	Cornelsen bietet auch viele Tipps und Erfahrungsberichte aus der Praxis an.
	die	**Praxis**	practice	Cornelsen bietet auch viele Tipps und Erfahrungsberichte aus der Praxis an.
		didaktisch	didactic	Aktuelle Infos und didaktische Tipps rund um DaF.
		gespannt	eager	Wir sind gespannt auf Ihre Beiträge!
	der	**Beitrag**, die Beiträge	contribution	Wir sind gespannt auf Ihre Beiträge!
		***mitgestalten**, er gestaltet mit, er hat mitgestaltet*	(to) actively participate	Wir sind gespannt auf Ihre Beiträge, gestalten Sie mit!
		zudem	in addition	Sie können sich zudem über regelmäßige Sonderaktionen informieren.
	die	***Sonderaktion**, die Sonderaktionen*	special action	Sie können sich zudem über regelmäßige Sonderaktionen informieren.
		informativ	informative	Die Internetseite ist informativ.
		übersichtlich	clear	Ich finde die Internetseite übersichtlich.
		unübersichtlich	unclear	Ich finde die Internetseite unübersichtlich.
1.3	der	**Schritt**, die Schritte	step	Ordnen Sie die Schritte.

		eingeben, *er gibt ein, er hat eingegeben*	(to) put in	Geben Sie die Stichwörter ein.
1.4		**woraus**	out of what	Woraus macht man „Obatzda" und „Labskaus"?

2 Wörter – Spiele – Training

2.1	*das*	***Interviewspiel***, *die Interview-spiele*	interview game	Heute spielen wir im Kurs das Interviewspiel.
2.1a		**Rad fahren**, er fährt Rad, er ist Rad gefahren	(to) ride bicycle	Im Sommer fährt Stefan Rad.
	das	***Skispringen***	ski jumping	Im Winter sieht Frau Gärtner beim Skispringen zu.
		zusehen, *er sieht zu, er hat zugesehen*	(to) watch	Im Winter sieht Frau Gärtner beim Skispringen zu.
	der	***Schlitten***, *die Schlitten*	sleigh	Im Winter fährt Frau Gärtner Schlitten.
		sonntags	Sundays	Sonntags spielt Stefan in einer Band.
	die	***E-Gitarre***, *die E-Gitarren*	electric guitar	Stefan spielt E-Gitarre in einer Band.
2.2	das	**Laufdiktat**, die Laufdiktate	running dictation	Wie funktioniert ein Laufdiktat?

	die	**Partnerarbeit**, die Partnerarbeiten	partner work	Arbeiten Sie zu zweit in Partnerarbeit.
2.2a		**legen**, er legt, er hat gelegt	(to) place	Legen Sie in jede Ecke im Kursraum ein Kursbuch.
2.2b		**zurücklaufen**, er läuft zurück, er ist zurückgelaufen	(to) run back	Nach dem Lesen läuft er zurück.
2.2d	*das*	***(Wiener) Kaffeehaus***, *die (Wiener) Kaffeehäuser*	coffeehouse	Im Wiener Kaffeehaus bestellt ein Gast eine Suppe.
		kochen (vor Wut kochen) *er kocht vor Wut, er hat vor Wut gekocht*	(to) be boiling with rage	Der Ober kocht vor Wut.
	die	***Wut***	rage	Der Ober kocht vor Wut.
		rechte	right	Der Ober hat den rechten Daumen beim Servieren in der Suppe.
	der	***Daumen***, *die Daumen*	thumb	Der Ober hat den rechten Daumen beim Servieren in der Suppe.
2.3a		**keiner, keine, keins**	not any	Ich habe keine Zeitung gelesen.
		nachsehen (jmdm), *er sieht ihr nach, er hat ihr nachgesehen*	(to) gaze after	Ich habe keiner Frau nachgesehen.

		bringen (einen Stein ins Rollen bringen)	(to) set the ball rolling	Ich habe keinen Stein ins Rollen gebracht.
		***rollen**, er rollt, er ist gerollt*	(to) roll	Der Stein ist gerollt.
2.4a	*der*	***Bewohner**, die Bewohner*	inhabitant (m)	Wiener heißen die Bewohner der Stadt Wien.
	die	***Bewohnerin**, die Bewohnerinnen*	inhabitant (f)	Wienerinnen heißen die Bewohnerinnen der Stadt Wien.
	die	***Würstchensorte**, die Würstchensorten*	kind of sausage	Wiener und Krakauer sind Würstchensorten.
	der	***Witz**, die Witze*	joke	Manche Menschen finden Witze über Fliegen in der Suppe nicht witzig.
		witzig	funny	Manche Menschen finden Witze über Fliegen in der Suppe nicht witzig.
2.4b		***austauschen**, er tauscht aus, er hat ausgetauscht*	(to) swap	Tauschen Sie die Rätsel im Kurs aus.

3 Filmstation

3.1	*das*	***Geocoaching***	geocaching	Geocoaching ist ein Hobby für die ganze Familie.

3.1a	*der*	***Clip**, die Clips*	clip	Sehen Sie den Clip ohne Ton an.
3.1b	*das*	***Navigationsgerät**, die Navigationsgeräte*	GPS receiver	Er sucht den Schatz mit dem Navigationsgerät.
	das	***Notizbuch**, die Notizbücher*	notebook	Sie schreibt die Informationen in das Notizbuch.
	das	***Versteck**, die Verstecke*	hiding place	Es gibt auf der ganzen Welt circa 7000 Verstecke.
	das	***GPS-Navigationssystem**, die GPS-Navigationssysteme*	GPS navigation system	Mit einem GPS-Navigationssystem sucht man den Schatz.
		***herausnehmen**, er nimmt etw. heraus, er hat etw. herausgenommen*	(to) take out	Man nimmt ein Teil heraus und legt ein neues Teil in die Kiste.
	das	***Teil**, die Teile*	thing	Man nimmt ein Teil heraus und legt ein neues Teil in die Kiste.
	die	***Kiste**, die Kisten*	box	Der Schatz ist in einer Kiste.
		***zurücklegen**, er legt etw. zurück, er hat etw. zurückgelegt*	(to) put back	Dann legt man den Schatz wieder zurück.
3.3		***verpacken**, er verpackt etw., er hat etw. verpackt*	(to) pack	Er verpackt das Geschenk.

3.3a	der	**Laptop**, die Laptops	laptop	Der Industriedesigner gestaltet das Laptop.
3.3b	*die*	***Jobbeschreibung**, die Jobbeschreibungen*	job description	Lesen Sie die Jobbeschreibung.
	das	***Design**, die Designs*	design	In diesem Beruf macht man das Design für die Medien.
	das	***Modell**, die Modelle*	model	Der Designer entwirft erste Modelle.
	der	***Industriedesigner**, die Industriedesigner*	industrial designer (m)	Der Industriedesigner macht eine Zeichnung und baut ein Modell.
	die	***Industriedesignerin**, die Industriedesignerinnen*	industrial designer (f)	Die Industriedesignerin macht eine Zeichnung und baut ein Modell.
	der	***Käufer**, die Käufer*	consumer (m)	Das Design muss zum Käufer passen.
	die	***Käuferin**, die Käuferinnen*	consumer (f)	Das Design muss zur Käuferin passen.
	die	***Käufergruppe**, die Käufergruppen*	consumer group	Für eine Käufergruppe entwirft der Designer Modelle.
		***entwerfen**, er entwirft, er hat entworfen*	(to) design	Für eine Käufergruppe entwirft der Designer Modelle.
	der	***Designer**, die Designer*	designer (m)	Der Designer entwirft erste Modelle.
	die	***Designerin**, die Designerinnen*	designer (f)	Die Designerin entwirft erste Modelle.

3.4	*das* **Lieblingsdesign**, *die Lieblingsdesigns*	favourite design	Wie sieht dein Lieblingsdesign aus?
	designen, *er designt etw., er hat etw. designt*	(to) design	Sie können ein Handy designen.
3.5	der **Kochkurs**, die Kochkurse	cooking course	Malte und Karina machen einen Kochkurs.
3.5a	*das* **Jumping Dinner**, *die Jumping-Dinner*	progressive blind-date dinner	Malte und Karina machen beim Jumping Dinner mit.
	das **Hauptgericht**, *die Hauptgerichte*	main course	Sie treffen für das Hauptgericht fünf neue Singles in einer anderen Wohnung.
	der **Nachtisch**, *die Nachtische*	dessert	Für den Nachtisch treffen sie noch einmal neue Singles.
	der **Gang**, *die Gänge*	course	In drei Gängen treffen sie also 18 Singles.
3.5b	*der* **Singlekochkurs**, *die Singlekochkurse*	singles cooking class	Er macht einen Singlekochkurs an einer Kochschule.
	die **Kochschule**, *die Kochschulen*	cooking school	Er macht einen Singlekochkurs an einer Kochschule.

4 Magazin

	irgendwo	somewhere	Eine Geburtstagsfeier irgendwo in Süddeutschland.
der	***Nachbargarten**, die Nachbargärten*	neighbour's garden	Einige Gäste haben im Nachbargarten einen Gartenzwerg entdeckt.
der	***Gartenzwerg**, die Gartenzwerge*	garden gnome	Die Gäste haben den Gartenzwerg mitgenommen.
der	***Zwerg**, die Zwerge*	gnome	Der Zwerg bekam den Namen Fridolin.
die	***Weltreise**, die Weltreisen*	world tour	Ich mache eine Weltreise.
der	***Eigentümer**, die Eigentümer*	owner (m)	Jeder Gast hat Postkarten an den Eigentümer geschrieben.
die	***Eigentümerin**, die Eigentümerinnen*	owner (f)	Jeder Gast hat Postkarten an die Eigentümerin geschrieben.
	dienstlich	on business	Er war dienstlich im Ausland.
	reisefreudig	fond of travelling	Die Gäste waren sehr reisefreudig.
	***unter anderem** (u.a.)*	among others	Er hat Grüße unter anderem aus Australien und den USA bekommen.

	irgendeiner, irgendeine, irgendeins	someone	Irgendeiner hatte die Idee.
die	***Zwergendame**, die Zwergendamen*	lady gnome	Fridolin hat eine nette Zwergendame kennengelernt.
die	***Gartenzwergin**, die Gartenzwerginnen*	lady garden gnome	Die Gäste haben eine Gartenzwergin gekauft.
	***versammeln (sich)**, sie versammeln sich, sie haben sich versammelt*	(to) gather	Zur Feier haben sich alle wieder im Garten versammelt.
der	***Ehegatte**, die Ehegatten*	spouse (m)	Sie haben den Ehegatten zu seinem Eigentümer zurückgebracht.
die	***Ehegattin**, die Ehegattinnen*	spouse (f)	Sie haben die Ehegattin zu ihrem Eigentümer zurückgebracht.
	heimlich	secretly	Sie haben die Zwerge heimlich zu ihrem Eigentümer zurückgebracht.
	***zurückbringen**, er bringt zurück, er hat zurückgebracht*	(to) bring back	Sie haben die Zwerge heimlich zu ihrem Eigentümer zurückgebracht.

	***zurückhaben (etw.)**, er hat etw. zurück, er hatte etw. zurück*	(to) have back	Der Nachbar hatte jetzt nicht nur seinen Zwerg zurück.
	zusätzlich	in addition	Er hatte noch einen Zwerg zusätzlich.
	tatsächlich	actually	Tatsächlich war der Zwerg natürlich die ganze Zeit im Keller.
der	**Bahnsteig**, die Bahnsteige	platform	Steh nicht auf dem Bahnsteig.
	***entgegengehen (jmdm.)**, er geht ihm entgegen, er ist ihm entgegengegangen*	(to) come to meet	Geh mir nicht entgegen.
	***lassen**, er lässt, er hat gelassen*	(to) let	Lass dich nicht küssen.
	***absteigen**, er steigt ab, er ist abgestiegen*	(to) put up at	Steig nicht im erstbesten Hotel ab.
	***erstbeste**, erstbeste, erstbeste*	very first	Steig nicht im erstbesten Hotel ab.
	dauernd	constantly	Sieh mich nicht dauernd an.
	***stammeln**, er stammelt, er hat gestammelt*	(to) stammer	Er stammelt, er muss heim.

	heim (müssen)	(to) have to go home	Ich muss heim.
	***rẹnnen**: vor jdm herrennen, er rennt vor ihm her, er ist vor ihm hergerannt*	(to) run away	Renn nicht vor mir her.
	***ụmdrehen (sich)**, er dreht sich um, er hat sich umgedreht*	(to) turn around	Dreh dich nicht um.
	***zuwinken (jmdm)**, er winkt mir zu, er hat mir zugewunken*	(to) wave at	Wink mir nicht zu.
der	**Hẹrbstmorgen**, *die Herbstmorgen*	autumn morning	Es war an einem Herbstmorgen in Holland.
die	**Nebelkuh**, *die Nebelkühe*	cow of fog	Die Nebelkuh steht im Nebelmeer.
das	**Nebelmeer**, *die Nebelmeere*	sea of fog	Die Nebelkuh steht im Nebelmeer.
	***muhen**, sie muht, sie hat gemuht*	(to) moo	Die Kuh muht neben meinem Bahngleis.
das	**Bahngleis**, die Bahngleise	train track	Der Zug fährt auf dem Bahngleis.
	***entstẹllen**, er entstellt, er hat entstellt*	(to) distort	Das n wird zum l entstellt.

die	***Nebelwelt**, die Nebelwelten*	world of fog	Nun geht es weiter in die Nebelwelt.
	konsequent	consistent	Ich bin endlich konsequent.
	***umschreiben**, er schreibt um, er hat umgeschrieben*	(to) rephrase	Man kann Gedichte umschreiben.
	auswendig	by heart	Man kann Gedichte auswendig lernen.
die	***Lokomotive**, die Lokomotiven*	locomotive	Die Lokomotiven tönen.
	***tönen**, sie tönt, sie hat getönt*	(to) make a sound	Die Lokomotiven tönen.
die	***Vergangenheit***	past	Wir reisen in die Vergangenheit.
die	***Gegenwart***	present	Wir bleiben in der Gegenwart.
der	***Sumpf**, die Sümpfe*	swamp	Wir fahren in den Sumpf.
	unaufhaltsam	unstoppable(ly)	Unaufhaltsam ziehen die Träume vorbei.
	***vorbeiziehen**, er zieht vorbei, er ist vorbeigezogen*	(to) file past	Unaufhaltsam ziehen die Träume vorbei.
die	***Gewissheit***	certainty	Wir reisen mit einer Gewissheit.
	***anlangen**, er langt an, er ist angelangt*	(to) end up	Wo wir auch anlangen, liegt das Ziel schon hinter uns.

7 Vom Land in die Stadt

das	**Stadtleben**	urban life	Ich finde das Stadtleben schöner.
das	**Landleben**	rural life	Ich mag das Landleben lieber.
der	**Traktor**, die Traktoren	tractor	Auf dem Land fährt der Bauer Traktor.
die	**Ausstellung**, die Ausstellungen	exhibition	In der Stadt kann man Ausstellungen besuchen.

1 Stadtleben oder Landluft?

	die	**Landluft**	country air	Stadtleben oder Landluft?
1.1	der	**Schüttelkasten**, die Schüttelkästen	shaker box	Ordnen Sie die Wörter aus dem Schüttelkasten.
		beides	both	Tiere füttern und Traktor fahren: beides kann man auf dem Land machen.
	die	***Luftverschmutzung***	air pollution	In der Stadt gibt es mehr Luftverschmutzung.

	das	**Radfahren**	cycling	Radfahren kann man in der Stadt und auf dem Land.
		grillen, er grillt, er hat gegrillt	(to) barbecue	Auf dem Land kann man im Garten grillen.
	der	**Verkehrsstau**, die Verkehrsstaus	traffic jam	In der Stadt gibt es Verkehrsstaus.
1.2a	der	**Bericht**, die Berichte	report	den Bericht lesen
	der	***Großstädter**, die Großstädter*	big-city inhabitant (m)	Deutsche Großstädter lieben das Stadtleben.
	die	***Großstädterin**, die Großstädterinnen*	big-city inhabitant (f)	Deutsche Großstädterinnen lieben das Stadtleben.
		eindeutig	unequivocal	Das Ergebnis war eindeutig.
	der	**Bewohner**, die Bewohner	inhabitant (m)	Die Bewohner von Städten mit mehr als 100.000 Einwohnern sind sehr zufrieden mit ihrem Wohnort.
	die	**Bewohnerin**, die Bewohnerinnen	inhabitant (f)	Die Bewohnerinnen von Städten mit mehr als 100.000 Einwohnern sind sehr zufrieden mit ihrem Wohnort.

	zufrieden	content	Die meisten Bewohner sind sehr zufrieden mit ihrem Wohnort.
der	**Wohnort**, die Wohnorte	place of residence	Die meisten Bewohner sind sehr zufrieden mit ihrem Wohnort.
	zahlreich	numerous	Die Großstädter mögen die zahlreichen Freizeitmöglichkeiten.
die	***Kleinstadt**, die Kleinstädte*	small city	Eine Großstadt bietet mehr Einkaufsmöglichkeiten als eine Kleinstadt.
der	***Pluspunkt**, die Pluspunkte*	asset	Das große Kulturangebot ist ein Pluspunkt.
die	**Arbeitsstelle**, die Arbeitsstellen	job	Auf dem Land ist es schwierig eine Arbeitsstelle zu finden.
	***verkürzen**, er verkürzt, er hat verkürzt*	(to) shorten	Sie wollen den Weg zur Arbeit verkürzen.
	ebenso	likewise	Mehr Kindergärten sind für die meisten ebenso wichtig.
	nahe	near	Schulen liegen in der Stadt nahe am Wohnort.
	konkret	concrete	Sie hatten keinen konkreten Grund für den Umzug.

1.2b		**begründen**, er begründet, er hat begründet	(to) give reasons	Begründen Sie Ihre Meinung.

2 Vom Land in die Stadt

2.1		**umziehen**, er zieht um, er ist umgezogen	(to) move	Frank und Jessica sind umgezogen.
2.1a	der	**Nachteil**, die Nachteile	disadvantage	Welche Nachteile nennen sie?
	die	***Busverbindung**, die Busverbindungen*	bus connection	Die schlechten Busverbindungen sind ein Nachteil.
	der	**Lärm**	noise	In der Stadt gibt es mehr Lärm.
		unbekannt	unknown	Häufig hat man unbekannte Nachbarn.
2.1b	*das*	***Mietshaus**, die Mietshäuser*	tenement	Im Mietshaus kennt man seine Nachbarn nicht.
		kulturell	cultural	Es gibt in der Großstadt viele kulturelle Angebote.
		kaum	hardly	Man kann sich kaum entscheiden.
		eigentlich	actually	In der Stadt braucht man eigentlich kein Auto.
	der	**Benzinpreis**, die Benzinpreise	gas price	Die Benzinpreise sind teuer.

		***steigen**, er steigt, er ist gestiegen*	(to) go up	Die Benzinpreise steigen.
	die	**Möglichkeit**, die Möglichkeiten	opportunity	Es gibt mehr Möglichkeiten zur Freizeitgestaltung in der Natur.
2.2a	die	**Lịppe**, die Lippen	lip	Machen Sie die Lippen rund und sprechen Sie nach.
2.3a		**argumentieren**, er argumentiert, er hat argumentiert	(to) argue	Wer argumentiert pro Stadt?
		ẹndlich	finally	Endlich Ruhe und Platz!
		dauernd	continually	In Hamburg hatte ich dauernd Angst um sie.
	die	**Ạngst**, die Ängste	fear	In Hamburg hatte ich dauernd Angst um sie.
		ạ̈tzend	god-awful	Alle reden über alle. Ätzend!
	der	***Lạndfrauenverein**, die Landfrauenvereine*	country-women's club	Es gibt nur Fußball und Landfrauenvereine.
	der	**Drẹck**	dirt	Großstadt bedeutet Dreck, Lärm und zu viele Menschen.
		nẹrvig	annoying	Die hohen Mieten waren nervig.

	der	**Kompromiss**, die Kompromisse	compromise	Ein Reihenhaus in einer Kleinstadt ist ein guter Kompromiss.
	der/die	**Jüngste**, die Jüngsten	youngest	Wir sind nicht mehr die Jüngsten.
	das	***Einkaufszentrum**, die Einkaufszentren*	shopping centre	Das Einkaufszentrum ist in der Nähe.
2.4b		**verbieten**, er verbietet, er hat verboten	(to) forbid	Tiere halten war verboten.
2.5	*der*	***Vergleich**, die Vergleiche*	comparison	Das ist ein Vergleich zwischen Stadt und Land.
2.6		**unwichtig**	unimportant	Für mich ist es unwichtig, dass man einkaufen kann.
2.7	*die*	***Stadtgruppe**, die Stadtgruppen*	city group	eine Stadtgruppe bilden
	die	***Landgruppe**, die Landgruppen*	country group	eine Landgruppe bilden
	das	**Argument**, die Argumente	argument	Sammeln Sie Argumente und tauschen Sie sich aus.

3 Auf Wohnungssuche in Stuttgart

3.1

die	**AB-Whg.** *(= Altbau-Wohnung)*	flat in an older building	Biete schöne AB-Whg. mit Balkon.
	ZKB *(= Zimmer, Küche + Bad)*	room, kitchen, bath	Biete schöne AB-Whg., 3 ZKB und Balkon.
die	**Min.** (= Minute)	minute	Von der Wohnung sind es 3 Min. zur S-Bahn.
die	**Kaltmiete**	basic rent	Die Kaltmiete beträgt 820 Euro.
die	***2-Zi.-Whg***	2-room flat	Biete 2-Zi.-Whg. in Stuttgart Mitte.
der	**NB** (= Neubau)	modern building	Biete 3-Zi.-Whg., NB mit BLK.
der	**BLK** (= Balkon)	balcony	Biete 3-Zi.-Whg., NB mit BLK.
	ideal	ideal(ly)	Die Wohnung liegt ideal für Flughafenpersonal.
das	***Flughafenpersonal***	airport personnel	Die Wohnung liegt ideal für Flughafenpersonal.
die	***1-Zi.-EG-Whg.*** *(= 1-Zimmer-Erdgeschoss-Wohnung)*	1-room ground-floor flat	Die 1-Zi.-EG-Whg. ist möbliert und kostet 350 Euro kalt.
	möbliert	furnished	Die 1-Zi.-EG-Whg. ist möbliert und kostet 350 Euro kalt.

		plus	plus	Die Miete beträgt 365 Euro plus NK.
	die	**Lage**, die Lagen	location	Biete schöne AB-Whg. in zentraler Lage.
	der	***Stellplatz**, die Stellplätze*	parking stall	Biete schöne AB-Whg. mit BLK und Stellplatz.
	der	**Hbf.** (= Hauptbahnhof)	main station	Von der Wohnung sind es 5 Min. zum Hbf.
	die	**Abkürzung**, die Abkürzungen	abbreviation	In Wohnungsanzeigen stehen viele Abkürzungen.
	das	***Dachgeschoss (DG)**, die Dachgeschosse*	attic	Biete Altbau-Wohnung im DG.
	die	***Kaution** (KT), die Kautionen*	deposit	Die Kaution beträgt 400 Euro.
	die	**Wohnfläche** (Wfl.), die Wohnflächen	living area	Die Wohnung hat eine Wohnfläche von 65 m².
	die	***Nebenkosten** (NK)(Pl.)*	utilities	Die Nebenkosten betragen 125 Euro.
3.2		**erfragen**, er erfragt, er hat erfragt	(to) ask for	Erfragen Sie Informationen zu der Wohnung.
		vereinbaren, er vereinbart, er hat vereinbart	(to) arrange	Ich möchte eine Wohnungsbesichtigung vereinbaren.
3.3	*das*	***Partnerspiel**, die Partnerspiele*	partner game	Im Kurs haben wir heute ein Partnerspiel gemacht.

	vermieten, er vermietet, er hat vermietet	(to) rent (out)	**Ruhige, sonnige Whg.** im Zentrum Stuttgarts zu **vermieten.**
die	**Anzeige**, die Anzeigen	advertisement	**Ich habe Ihre Anzeige gelesen.**

4 Der Umzug

4.1	die	**Checkliste**, die Checklisten	checklist	**Machen Sie für Ihren Umzug eine** Checkliste.
4.1a	*die*	***Umzugscheckliste**, die Umzugschecklisten*	moving checklist	**Ich muss eine Umzugscheckliste machen.**
	der	**Babysitter**, die Babysitter	babysitter (m)	**Für die Kinder müssen wir** einen Babysitter **organisieren.**
	die	**Babysitterin**, die Babysitterinnen	babysitter (f)	**Für die Kinder müssen wir** eine Babysitterin **organisieren.**
		besorgen, er besorgt, er hat besorgt	moving box	**Wir müssen Umzugskartons** besorgen.
	der	**LKW (Lastkraftwagen)**, die LKWs (Lastkraftwagen)	truck	**Wir brauchen einen** LKW.

	bitten (um Hilfe bitten), er bittet um Hilfe, er hat um Hilfe gebeten	(to) ask for help	Für den Umzug bitten wir Freunde um Hilfe.
der	***Hausrat***	household effects	Ich muss den Hausrat einpacken.
der	***Karton***, *die Kartons*	box	Die Kartons beschriften wir mit Inhalt und Zimmer.
	beschriften, *er beschriftet, er hat beschriftet*	(to) label	Die Kartons beschriften wir mit Inhalt und Zimmer.
der	**Inhalt**, die Inhalte	contents	Dagmar schreibt den Inhalt auf die Kartons.
der	***Extrakarton***, *die Extrakartons*	extra box	Jens packt Extrakartons mit dem Waschzeug.
der	***Babybedarf***	baby necessities	Jens packt Extrakartons mit dem Babybedarf.
der	***Helfer***, *die Helfer*	helper (m)	Dagmar packt einen Karton mit Verpflegung für die Helfer.
die	***Helferin***, *die Helferinnen*	helper (f)	Dagmar packt einen Karton mit Verpflegung für die Helferinnen.
das	***Waschzeug***	cleaning supplies	Jens packt Extrakartons mit dem Waschzeug.

der	**Parkplatz**, die Parkplätze	parking stall	Für den Umzug reservieren sie einen Parkplatz.
4.1b	**erledigen**, er erledigt, er hat erledigt	(to) take care of	Dagmar und Jens müssen noch viel erledigen.
4.2a	**brechen**, er bricht, er hat gebrochen	(to) break	Der Kollege hat sich das Bein gebrochen.
	verbrennen (sich), er verbrennt sich, er hat sich verbrannt	(to) burn	Ein Kind hat sich an der Hand verbrannt.
	rufen, er ruft, er hat gerufen	(to) call	Jens ruft den Notarzt an.
	halten, er hält, er hat gehalten	(to) hold	Das Kind hält die Hand unter kaltes Wasser.
	kühlen, er kühlt, er hat gekühlt	(to) cool	Dagmar kühlt die Stelle mit Eis.
	reinigen, er reinigt, er hat gereinigt	(to) clean	Er reinigt die Wunde.
die	**Wunde**, die Wunden	wound	Er reinigt die Wunde.
das	**Pflaster**, die Pflaster	plaster	Er klebt ein Pflaster auf die Stelle.

4.2b	die	**Reihenfolge**, die Reihenfolgen	order	Bringen Sie die Fotos in die richtige Reihenfolge.
	der	**Unfall**, die Unfälle	accident	Beim Umzug ist ein Unfall passiert.
4.2c		***einräumen***, *er räumt ein, er hat eingeräumt*	(to) put away	Ich habe gerade Bücher eingeräumt.
	das	**Geschirr**	dishes	Ich wollte unser Geschirr auspacken.
		auspacken, er packt aus, er hat ausgepackt	(to) unpack	Ich wollte unser Geschirr auspacken.
		aufpassen, er passt auf, er hat aufgepasst	(to) watch out	Ich habe nicht aufgepasst.
	die	**Salbe**, die Salben	salve	Wir hatten sogar Pflaster und Salbe in der Hausapotheke.
	die	**Hausapotheke**, die Hausapotheken	medicine chest	Wir hatten sogar Pflaster und Salbe in der Hausapotheke.
4.3	*das*	***Nasenspray***, *die Nasensprays*	nasal spray	Ich habe Nasenspray zu Hause.
	der	***Verband***, *die Verbände*	bandage	Ich habe einen Verband in der Hausapotheke.
	die	**Schere**, die Scheren	scissors	Wir haben eine Schere zu Hause.
	der	**Tropfen**, die Tropfen	drop	Ich habe Tropfen in der Hausapotheke.

4.4		**stoßen**, er stößt, er hat gestoßen	(to) hit	Ich habe mir den Kopf gestoßen.
		verletzen (sich), er verletzt sich, er hat sich verletzt	(to) injure	Ein Helfer hat sich beim Umzug verletzt.
		glücklicherweise	luckily	Glücklicherweise ist nichts passiert.
	der	***Notruf***, *die Notrufe*	emergency number	Wir haben den Notruf gewählt.
4.5a		**schützen**, er schützt, er hat geschützt	(to) protect	Meine vier Wände schützen mich vor Regen und Wind.
	das	**Klavier**, die Klaviere	piano	Rio Reiser hat eine Wand für sein Klavier.
		sonst	otherwise	Sonst kommst du ja nicht zu mir.

5 Die Dorfrocker

5.1b		**gründen**, er gründet, er hat gegründet	(to) found	2005 haben die Brüder die Gruppe „Dorfrocker" gegründet.
	der	***Partyschlager***, *die Partyschlager*	party hit	Sie machen Partyschlager mit einer Mischung aus Rock- und Volksmusik.

die	**Mischung**, *die Mischungen*	mixture	Sie machen Partyschlager mit einer Mischung aus Rock- und Volksmusik.
die	**Rockmusik**	rock music	Sie spielen Rockmusik.
die	**Volksmusik**	folk music	Sie spielen Volksmusik.
	auftreten, er tritt auf, er ist aufgetreten	(to) appear	Die „Dorfrocker" treten im Fernsehen auf.
die	**Volksmusiksendung**, *die Volksmusiksendungen*	folk-music program	Die „Dorfrocker" treten in Volksmusiksendungen auf.
	eigene, eigener, eigenes	several	Sie geben auch eigene Konzerte.
	ausverkauft	sold out	Ihre Konzerte sind oft sehr schnell ausverkauft.
der	**Song**, *die Songs*	song	Den Dialekt hört man oft auch in den Songs der „Dorfrocker".
das	**Album**, *die Alben*	album	Das Album war 2014 auf Platz 14 der deutschen Album-Charts.
die	**Album-Charts** (*Pl.*)	album chart	Das Album war 2014 auf Platz 14 der deutschen Album-Charts.
der	**Refrain**, *die Refrains*	refrain	Den Refrain singen alle Konzert-Besucher immer lautstark mit.

		lautstark	loudly	Den Refrain singen alle Konzert-Besucher immer lautstark mit.
5.2a		**auffallen**, er fällt auf, er ist aufgefallen	(to) stand out	Was fällt Ihnen an der Sprache im Refrain auf?
		***mitsingen**, er singt mit, er hat mitgesungen*	(to) sing along	Den Refrain singen alle Konzert-Besucher immer lautstark mit.
		gelassen	relaxed	Bei uns ist alles viel gelassener.
		gescheit	properly	Wir feiern die Feste wie sie fallen und dann auch gescheit.
	der	**Streit**, die Streits	quarrel	Nach einem Bier gibt es auch mal Streit.
		ankommen (auf etw.), es kommt auf etw. an, es ist auf etw. angekommen	(to) come right down to it	Wenn es darauf ankommt, halten wir zusammen.
		***zusammenhalten**, sie halten zusammen, sie haben zusammengehalten*	(to) stick together	Wenn es darauf ankommt, halten wir zusammen.
		halt	simply	Das gefällt mir halt auf dem Land.
5.2b	*der*	***Liedtext**, die Liedtexte*	song lyrics	Markieren Sie die Wörter im Liedtext.

	das	**Lied**, die Lieder	song	Die „Dorfrocker" singen ein Lied.

Ü5 Übungen

Ü1a	*das*	***Bewerbungsgespräch**, die Bewerbungsgespräche*	application interview	Ansgar Klein hat heute ein Bewerbungsgespräch.
Ü2a	*der*	***Volleyballverein**, die Volleyballvereine*	volleyball club	Ein Volleyballverein ist ein Sportverein.
	der	***Skiclub**, die Skiclubs*	ski club	Ansgar Klein ist im Skiclub.
Ü2c		**unzufrieden**	dissatisfied	Heute ist er unzufrieden mit seiner Arbeit.
		uninteressant	uninteresting	Ich finde den Volleyballverein uninteressant.
Ü2d		***mit Hilfe***	with help	Ergänzen Sie den Satz mit Hilfe der Informationen auf Seite 127.
Ü3	*die*	***Landeshauptstadt**, die Landeshauptstädte*	capital	Stuttgart ist die Landeshauptstadt von Baden-Württemberg.
		sechstgrößte	sixth largest	Stuttgart ist die sechstgrößte Stadt in Deutschland.
		anreisen, er reist an, er ist angereist	(to) arrive	In Stuttgart kann man sogar mit dem Schiff anreisen.

	der **Verkehrsknotenpunkt**, *die Verkehrsknotenpunkte*	transportation hub	Die Stadt ist ein Verkehrsknotenpunkt.
	das **Ballett**, *die Ballette*	ballet	In Stuttgart gibt es Theater, Oper und Ballett.
	richtig sein (an einem Ort), er ist richtig, er war richtig	(to) be in the right place	Wer Musik liebt, ist in Stuttgart richtig.
	der **Musikverein**, *die Musikvereine*	music club	Dort gibt es viele Chöre und Musikvereine.
	das **Bundesland**, *die Bundesländer*	German state	Tannhausen ist ein kleines Dorf im Bundesland Baden-Württemberg.
Ü5a	*die* ***Angst (Angst haben um jdn.)***, *er hat Angst, er hatte Angst*	(to) be afraid (for sb.)	Sie wollte keine Angst mehr um die Kinder haben.
	dreckig	dirty	Er findet große Städte laut, dreckig und teuer.
Ü6	***füttern***, *er füttert, er hat gefüttert*	(to) feed	Ich musste auf dem Land die Tiere füttern.
	das ***Haustier***, *die Haustiere*	pet	Ich konnte in der Stadt kein Haustier haben.
Ü7a	***anonym***	anonymous	Im Dorf leben die Menschen anonymer als in der Stadt.

der	***Lerneraufsatz**, die Lerneraufsätze*	learner essay	Schreiben Sie einen Lerneraufsatz.
	nicht-passend	non-matching	Streichen Sie das nicht-passende Modalverb.
der	***Tanzkurs**, die Tanzkurse*	dance class	Ich muss mit dem Bus zu meinem Tanzkurs fahren.
Ü9b die	***5-Personen-WG**, die 5-Personen-WGs*	5-person flat share	Ein Zimmer in einer 5 Personen-WG ist frei.
das	***Extra**, die Extras*	extra	Zimmer in einer 5 Personen-WG, Extras: Balkon und Garten.
die	**Info**, die Infos	info	Infos gibt es unter 069 25249933.
der	***Nachmieter**, die Nachmieter*	follow-up tenant (m)	Nachmieter gesucht!
die	***Nachmieterin**, die Nachmieterinnen*	follow-up tenant (f)	Nachmieterin gesucht!
	vollmöbliert	fully furnished	Wir bieten eine schöne vollmöblierte Wohnung in der Schlossstraße.
die	***Uniklinik-Nähe***	close to the university hospital	Die Wohnung lieg in Uniklinik-Nähe.

	der ***Autostellplatz***, *die Autostellplätze*	parking stall	Ich suche eine Wohnung mit Autostellplatz.
	weglaufen, er läuft weg, er ist weggelaufen	(to) run away	Unsere Katze, schwarz, ist am 24.03. weggelaufen.
Ü11	der ***Umzugsstress***	moving stress	So ein Umzugsstress!
Ü13b	die ***Karteikarte***, *die Karteikarten*	filing card	Schreiben Sie die Beispielsätze auf eine Karteikarte.
Ü14a	**sterben**, er stirbt, er ist gestorben	(to) die	Rio Reiser ist in Friesenhagen gestorben.
	das ***Weltwissen***	world knowledge	Weltwissen ist ein Themenportal im Internet.
	die ***Hauptseite***, *die Hauptseiten*	homepage	Auf der Hauptseite findet man zufällige Artikel.
	das ***Themenportal***, *die Themenportale*	theme portal	Weltwissen ist ein Themenportal im Internet.
	zufällig	random	Auf der Hauptseite findet man zufällige Artikel.
	anlegen, *er legt an, er hat angelegt*	(to) set up	Man kann neue Artikel anlegen.
	das ***Autorenportal***, *die Autorenportale*	author portal	Im Autorenportal kann man sich als Autor einloggen.

	die	**Ạnderung**, die Änderungen	change	**Alle Surfer können die Änderungen sehen.**
	die	***Spẹnde**, die Spenden*	donation	**Die Internetseite lebt von Spenden.**
	der	**Schauspieler**, die Schauspieler	actor	**Rio Reiser war ein deutscher Schauspieler.**
	die	**Schauspielerin**, die Schauspielerinnen	actress	**Nina Hoss ist eine deutsche Schauspielerin.**
	der	***Solokünstler**, die Solokünstler*	solo artist (m)	**Er war auch Solokünstler.**
	die	***Solokünstlerin**, die Solokünstlerinnen*	solo artist (f)	**Sie ist auch Solokünstlerin.**
	die	***Mạcht**, die Mächte*	power	**Keine Macht für Niemand.**
		kritisch	critical	**Reiser war sehr kritisch und politisch.**
	das	**Talẹnt**, die Talente	talent	**Der Sänger hatte großes Talent.**
	das	***Cẹllo**, die Cellos*	cello	**Er konnte Cello und viele andere Instrumente spielen.**
Ü14b		**ụnfreundlich**	unfriendly	**Auf dem Bild sieht er unfreundlich aus.**
Ü15a	*die*	***Pọpmusik***	pop music	**Volksmusik ist leichte Popmusik für Feste und Feiern.**

die	***Art und Weise***	way	Das ist die Art und Weise, wie man in Bayern Deutsch spricht.
die	**Sammlung**, *die Sammlungen*	collection	Ein Album ist eine Sammlung von mehreren Musikstücken.
das	**Musikstück**, *die Musikstücke*	piece of music	Ein Album ist eine Sammlung von mehreren Musikstücken.
die	**Liedzeile**, *die Liedzeilen*	line of a song	Refrains heißen Liedzeilen, die man oft wiederholt.
Ü15b	**fallen**, er fällt, er ist gefallen	(to) fall	Wir feiern Feste wie sie fallen.
	ein wenig	a bit	Und nach einem Bier gibt es auch einmal ein wenig Streit.
	füreinander da sein	(to) be there for one another	Wir sind füreinander da.
	streiten, sie streiten, sie haben gestritten	(to) quarrel	Manchmal streiten wir.

Fit für Einheit 8? Testen Sie sich!

der	**Stadtmensch**, *die Stadtmenschen*	city person	Bist du ein Stadtmensch?

8 Kultur erleben

die	***Stadtbesichtigung**, die Stadtbesichtigungen*	city sightseeing tour	Planen Sie ein Programm für eine Stadtbesichtigung.
der	***Theaterbesuch**, die Theaterbesuche*	visit to the theatre	Organisieren Sie einen Theaterbesuch.
	Vergangenes	the past	über Vergangenes sprechen und schreiben
das	**Ballett**	ballet	Ich war noch nie in einem Ballett.
das	***Musical**, die Musicals*	musical	Ich mag lieber Musicals.
das	***Festival**, die Festivals*	festival	Ich bin ein Fan von Festivals.
der	**Zirkus**, die Zirkusse	circus	Interessierst du dich für Zirkus?

1 Kulturhauptstädte Europas

verschiedene	various	Menschen aus verschiedenen Ländern und Kulturen lernen sich besser kennen.

der	**Fall**	fall	Kurz vor dem Fall der Berliner Mauer war Berlin Kulturhauptstadt.
die	***Region**, die Regionen*	region	Die letzte deutsche Kulturhauptstadt war eine ganze Region.
der	**Vertreter**, die Vertreter	representative (m)	Die Stadt Essen war der Vertreter für 53 Städte im RUHR.2010-Projekt.
die	**Vertreterin**, die Vertreterinnen	representative (f)	Sie war die Vertreterin für andere Städte.
die	**Veranstaltung**, die Veranstaltungen	event	Es gab über 5.500 Veranstaltungen.
das	**Erlebnis**, die Erlebnisse	experience	Die gesperrte A40 war das tollste Erlebnis für mich.
	gesperrt	closed	Die gesperrte A40 war das tollste Erlebnis für mich.
die	***Institution**, die Institutionen*	institution	Auf der Strecke waren Tische von Vereinen, Familien und Institutionen.
	lohnen (sich), es lohnt sich, es hat sich gelohnt	(to) be worth it	Es lohnt sich.
	bewerben (sich um), er bewirbt sich, er hat sich beworben	(to) apply	Jedes Jahr bewerben sich viele Städte um den Titel Kulturhauptstadt.

		feststehen, es steht fest, es hat festgestanden	(to) be fixed	Bis 2018 stehen alle Kulturhauptstädte fest.
		folgende	following	Wir haben auf den folgenden Seiten einige Reisetipps zusammengestellt.
1.1b		**bereits**	already	Wo war die Person bereits?
1.2	*der*	***Wechsel (im Wechsel)***	in turn	Fragen und antworten Sie im Wechsel.
	das	**Mal**, die Male	time	Ich war schon einige Male auf einem Festival.
	der	**Fan**, die Fans	fan	Ich bin kein großer Fan von Musicals.
1.3a	die	**Jahreszahl**, die Jahreszahlen	year	Ergänzen Sie die Jahreszahlen in der Karte.
		vorkommen, es kommt vor, es ist vorgekommen	(to) occur	Die Jahreszahlen kommen im Artikel vor.

2 Kulturreise: Eindrücke gestern und heute

	die	***Kulturreise**, die Kulturreisen*	cultural trip	Er macht eine Kulturreise nach Weimar.
	der	***Eindruck**, die Eindrücke*	impression	Alexandr schreibt seine Eindrücke auf.
2.1a	*der*	***Blog-Eintrag**, die Blog-Einträge*	blog post	Lesen Sie den Blog-Eintrag vom 12. März.

der	***Musiker**, die Musiker*	musician (m)	Alexandr spielt Geige und ist Musiker von Beruf.
die	***Musikerin**, die Musikerinnen*	musician (f)	Sie ist Musikerin von Beruf. Sie spielt Klavier.
die	**Reise (auf Reisen)**	on a trip	Alexandr macht eine Reise nach Weimar.
die	***Startseite**, die Startseiten*	start page	Auf der Startseite ist der neueste Blog-Eintrag.
die	**Medien** (Pl.)	media	Unter Medien hat er einige Videos hochgeladen.
die	***Redaktion**, die Redaktionen*	editorial staff	Die Redaktion schreibt Blog-Einträge.
	***abreisen**, er reist ab, er ist abgereist*	(to) leave (on a trip)	Ich wollte heute Mittag abreisen.
	fantastisch	fantastic	Ich finde ihre Arbeiten fantastisch.
der	***Lieblingskomponist**, die Lieblingskomponisten*	favourite composer (m)	Franz Liszt ist doch mein Lieblingskomponist.
die	***Lieblingskomponistin**, die Lieblingskomponistinnen*	favourite composer (f)	Sie ist meine Lieblingskomponistin.
die	**Lösung**, die Lösungen	solution	Die Lösung? Ich bleibe bis morgen.
das	**Wohnhaus**, die Wohnhäuser	house of residence	Heute stand Goethes Wohnhaus auf dem Programm.

	außerdem	as well	Außerdem spaziere ich durch den Park.
	montags	(on) Mondays	Goethes Gartenhaus ist montags leider nicht offen.
	offen	open	Goethes Gartenhaus ist montags leider nicht offen.
das	***Stadtschloss***, *die Stadtschlösser*	city palace	Ich gehe ins Stadtschloss und am Abend ins Nationaltheater.
das	**Werk**, die Werke	work	„Faust“ ist das wichtigste Werk von Goethe.
	schade	too bad	Es ist schade, dass ich noch nie in Deutschland im Urlaub war.
der	**Profi**, die Profis	professional	Dort treffen sich Profis, Studenten und natürlich das Publikum.
das	**Publikum**	public	Dort treffen sich Profis, Studenten und natürlich das Publikum.
	neugierig	curious	Das hat mich neugierig gemacht.
	verlieben (sich in), er verliebt sich in, er hat sich in verliebt	(to) fall in love	In die kleine Stadt habe ich mich sofort verliebt.
die	***Geige***, *die Geigen*	violin	Wir spielen heute zusammen Geige.

	das	**Konzert (ein Konzert geben)**, er gibt ein Konzert, er hat ein Konzert gegeben	concert	Wir geben ein Konzert.
2.1b	*der*	***Autor***, *die Autoren*	author (m)	J.W. von Goethe ist ein wichtiger Autor.
	die	***Autorin***, *die Autorinnen*	author (f)	Juli Zeh ist eine wichtige Autorin.
	der	***Bauhaus-Künstler***, *die Bauhaus-Künstler*	Bauhaus artist (m)	Die Bauhaus-Künstler sind einfach klasse!
	die	***Bauhaus-Künstlerin***, *die Bauhaus-Künstlerinnen*	Bauhaus artist (f)	Die Bauhaus-Künstlerinnen sind einfach klasse!
		klasse	great	Die Bauhaus-Künstlerinnen sind einfach klasse!
2.1c		**ggf. (gegebenenfalls)**	if necessary	Sie können ggf. ein Wörterbuch nutzen.
2.2c		**starten**, er startet, er ist gestartet	(to) start	Alexandr startet den Rundgang am Hotel Elephant.
	der	**Rundgang**, die Rundgänge	tour	Alexandr startet den Rundgang am Hotel Elephant.
		zuerst	first	Zuerst geht er nach rechts in die Schillerstraße.

2.2d	der	**Stichpunkt**, die Stichpunkte	point-form	Notieren Sie in Stichpunkten Informationen zu den Ausflugszielen.
	das	***Ausflugsziel**, die Ausflugsziele*	outing destination	Die Anna Amalia Bibliothek ist ein beliebtes Ausflugsziel.
2.3		**unternehmen**, er unternimmt, er hat unternommen	(to) undertake	Sagen Sie, was Sie unternehmen möchten.
		unbedingt	absolutely	In Goethes Gartenhaus will ich unbedingt.
2.4a		**da haben**, er hat da, er hatte da	(to) have (there)	Ja, wir haben noch Karten da.
	der	**Platz**, die Plätze	seat	Reservieren Sie mir bitte zwei Plätze.
	das	***Parkett**, die Parkette/Parketts*	stalls	Im Parkett ist noch etwas frei.
	die	**Ermäßigung**, die Ermäßigungen	reduction	Bekommen Sie eine Ermäßigung?
	der	**Rentner**, die Rentner	pensioner (m)	Studenten und Rentner bekommen die Karten billiger.
	die	**Rentnerin**, die Rentnerinnen	pensioner (f)	Studenten und Rentnerinnen bekommen die Karten billiger.

		preisgünstig	cheap	Schüler bekommen die Karten preisgünstiger.
	der	**Nachname**, die Nachnamen	surname	Wie war Ihr Nachname?
	die	***Abendkasse**, die Abendkassen*	evening box office	Kann ich die Karten an der Abendkasse abholen?
		Gern geschehen	my pleasure!	Vielen Dank. Gern geschehen.
2.5	das	**Fußballspiel**, die Fußballspiele	soccer game	Karten für ein Fußballspiel reservieren
2.6a	*der*	***Sprecher**, die Sprecher*	speaker (m)	Der Sprecher spricht dramatisch.
	die	***Sprecherin**, die Sprecherinnen*	speaker (f)	Die Sprecherin spricht dramatisch.
		leise	quietly	Die Sprecherin spricht leise.
		dramatisch	dramatically	Der Sprecher spricht dramatisch.
		fröhlich	joyfully	Der Sprecher spricht fröhlich.
2.6	die	**Anreise**, die Anreisen	arrival	die Anreise nach Weimar planen
	die	**Abreise**, die Abreisen	departure	die Abreise aus Weimar planen

3 Über Vergangenes sprechen und schreiben

3.1a	*der*	***Blumenladen**, die Blumenläden*	flower shop	Alexandr sucht einen Blumenladen.
	der	**Kiosk**, die Kioske	newspaper stand	An der Ecke gibt es heute einen Kiosk.
3.1b	*das*	***Kinocenter**, die Kinocenter*	multiplex cinema	Früher war hier ein Kinocenter.
3.3	*das*	***Genie**, die Genies*	genius	Johann Wolfgang von Goethe – ein Genie mit vielen Interessen
3.3a	die	**Aktion**, die Aktionen	action	Wir haben eine Aktion zu Goethe gemacht.
	der	**Vortrag**, die Vorträge	talk	Ich muss morgen einen Vortrag über Goethe halten.
		halten (einen Vortrag halten), er hält einen Vortrag, er hat einen Vortrag gehalten	(to) give a talk	Ich muss morgen einen Vortrag über Goethe halten.
3.3b		***gelten**, es gilt, es hat gegolten*	(to) be regarded as	Warum gilt Goethe als Universalgenie?

das	***Universalgenie**, die Universalgenies*	universal genius	Warum gilt Goethe als Universalgenie?
	allgemein	general	Zuerst sammelt sie ein paar allgemeine Informationen.
die	**Geburt**, die Geburten	birth	Goethes Geburt war am 28. August 1749.
	Jura	Law	Er studierte ab 1765 Jura in Leipzig.
der	**Anwalt**, die Anwälte	lawyer (m)	Sechs Jahre später arbeitete er als Anwalt.
die	**Anwältin**, die Anwältinnen	lawyer (f)	Sechs Jahre später arbeitete sie als Anwältin.
der	**Roman**, die Romane	novel	Sein erster Roman zeigte, dass er ein Genie war.
	unglücklich	unhappily	Goethe verliebte sich unglücklich in Charlotte Buff.
	***verfassen**, er verfasst, er hat verfasst*	(to) write	Er verfasste seinen ersten Roman in nur vier Wochen.
die	***Archäologie***	archaeology	Goethe hatte viele Interessen: Archäologie, Mineralogie und Wetter.
die	***Mineralogie***	mineralogy	Goethe hatte viele Interessen: Archäologie, Mineralogie und Wetter.
die	***Mathematik***	mathematics	Goethe interessierte sich auch für Mathematik.

	das	**Gedicht**, die Gedichte	poem	Er verfasste nicht nur Gedichte und Dramen.
	das	***Drama**, die Dramen*	drama	Er verfasste nicht nur Gedichte und Dramen.
		***erforschen**, er erforscht, er hat erforscht*	(to) study	Er erforschte zum Beispiel die Farben.
	der	**Tod**	death	In „Faust" ist alles drin: Liebe, Leben, Tod und Teufel.
	der	***Teufel**, die Teufel*	devil	In „Faust" ist alles drin: Liebe, Leben, Tod und Teufel.
3.3c	das	**Recht**	law	Goethe studierte Recht in Leipzig.
		weltberühmt	world-renowned	Goethe verfasste weltberühmte Gedichte und Dramen.
3.4		**forschen**, er forscht, er hat geforscht	(to) do research on	Gothe forschte über die Farben.
	der	***Infinitivstamm**, die Infinitivstämme*	infinitive root	Ein Infinitivstamm auf -t will immer noch ein -e.
3.5	*die*	***Zeitform**, die Zeitformen*	tense	Vergleichen Sie die Zeitformen.
	der	***Stadtführer**, die Stadtführer*	city tour-guide (m)	Der Stadtführer erklärt Goethes Leben.

	die	**Stadtführerin**, *die Stadtführerinnen*	city tour-guide (f)	Die Stadtführerin erklärt Goethes Leben.
3.6	die	**Dreiecksgeschichte**, *die Dreiecksgeschichten*	love triangle	Werther, Lotte und Albert haben eine berühmte Dreiecksgeschichte.
3.6a	der	**Schulbuchtext**, *die Schulbuchtexte*	schoolbook text	Lesen Sie den Schulbuchtext und sehen Sie die Skizze an.
	die	**Skizze**, *die Skizzen*	sketch	Erweitern Sie die Skizze im Heft.
		erweitern, er erweitert, er hat erweitert	(to) add to	Erweitern Sie die Skizze im Heft.
	der	**Romanheld**, *die Romanhelden*	hero of the novel	Werther, der Romanheld, berichtet von seiner unglücklichen Liebe.
	die	**Romanheldin**, *die Romanheldinnen*	heroine of the novel	Die Romanheldin berichtet von ihrer unglücklichen Liebe.
	der	**Ball**, die Bälle	ball	Er lernt Lotte auf einem Ball kennen.
		verlobt (sein mit), *er ist verlobt, er war verlobt*	engaged	Lotte ist mit seinem Freund Albert verlobt.
		bewundern, *er bewundert, er hat bewundert*	(to) admire	Sie ist schön und alle bewundern sie.

	liebevoll	affectionately	Sie kümmert sich liebevoll um ihre acht Geschwister.
	tot	dead	Ihre Mutter ist tot.
	enden, es endet, es hat geendet	(to) end	Werthers Liebe endet tragisch.
	tragisch	tragically	Werthers Liebe endet tragisch.
.6b	**bedeuten**, es bedeutet, es hat bedeutet	(to) mean	Was bedeutet Romanheld?

Übungen

1a	*der*	***Internet-Artikel**, die Internet-Artikel*	internet article	Lesen Sie den Internet-Artikel.
	das	***Stadtamt**, die Stadtämter*	municipal office	Informationen erhalten Besucher im Stadtamt.
		viertgrößte	fourth-largest	Pilsen ist die viertgrößte Stadt in Tschechien.
1c	*der*	***Bier-Fan**, die Bier-Fans*	beer fan	Bier-Fans können in Pilsen ins Bier-Museum gehen.
		kinderfreundlich	child-friendly	Pilsen ist auch kinderfreundlich: man kann in den Zoo gehen.

	das	**Kulturhauptstadtjahr**, *die Kulturhauptstadtjahre*	cultural-capital year	Im Kulturhauptstadtjahr gibt es mehr als 600 Veranstaltungen.
Ü3a	*die*	**Kulturhauptstadt-Region**, *die Kulturhauptstadt-Regionen*	cultural-capital region	Das Ruhrgebiet war 2010 Kulturhauptstadt-Region.
Ü4b	*der*	**Reisetipp**, *die Reisetipps*	travel tip	Mit den Informationen kann man Reisetipps zusammenstellen.
		zusammenstellen, er stellt zusammen, er hat zusammengestellt	(to) compile	Mit den Informationen kann man Reisetipps zusammenstellen.
Ü5a	*der*	**Ausdruck**, *die Ausdrücke*	expression	Sammeln Sie Wörter und Ausdrücke im Blog.
Ü6a	*der*	**Theaterplatz**, *die Theaterplätze*	theatre square	Das berühmte Haus steht am Theaterplatz.
	der	**Intendant**, *die Intendanten*	artistic director (m)	Goethe war der erste Intendant, das heißt der Leiter.
	die	**Intendantin**, *die Intendantinnen*	artistic director (f)	Sie war die erste Intendantin, das heißt die Leiterin.
	die	**Vorstellung**, die Vorstellungen	performance	Zu seiner Zeit gab es 300 Vorstellungen pro Jahr.
	das	**Exponat**, *die Exponate*	exhibit	Das Museum zeigt über 250 Exponate.

	die	***Kunstschule**, die Kunstschulen*	art school	Das Museum zeigt Werke von Schülern von der Kunstschule.
		***veranstalten**, er veranstaltet, er hat veranstaltet*	(to) organise	Die Hochschule veranstaltet die Weimarer Meisterkurse.
Ü6b	*der*	***Meisterkurs**, die Meisterkurse*	masters courses	Die Hochschule veranstaltet die Weimarer Meisterkurse.
Ü9b	*das*	***Phantom**, die Phantome*	phantom	Ich möchte gerne Karten für das Phantom der Oper reservieren.
Ü12b	*die*	***Vorgabe**, die Vorgaben*	guideline	Schreiben Sie mit Hilfe der Vorgaben Sätze.
Ü13		***fernschauen**, er schaut fern, er hat ferngeschaut*	(to) watch TV	Heute schaue ich weniger fern.
Ü14a		***verloben (sich)**, er verlobt sich, er hat sich verlobt*	(to) get engaged	Goethe verlobt sich 1772 mit Anna Elisabeth Schönemann.
		***trennen (sich)**, sie (Pl.) trennen sich, sie haben sich getrennt*	(to) separate	Goethe und Anna trennen sich wieder.
	der	***Minister**, die Minister*	minister (m)	Er arbeitet in Weimar als Minister.
	die	***Ministerin**, die Ministerinnen*	minister (f)	Sie arbeitet in Weimar als Ministerin.

Ü15	*der*	**Museumsführer**, *die Museumsführer*	museum guide (m)	Der Museumsführer berichtet über Walter Gropius.
	die	**Museumsführerin**, *die Museumsführerinnen*	museum guide (f)	Die Museumsführerin berichtet über Walter Gropius.
	das	**Architekturbüro**, *die Architekturbüros*	architecture office	Walter Gropius hat ein Architekturbüro eröffnet.
		eröffnen, er eröffnet, er hat eröffnet	(to) open	Walter Gropius hat ein Architekturbüro eröffnet.
Ü17		**verliebt**	in love	Als ich Ada zum ersten Mal gesehen habe, war ich sofort verliebt.
Ü18b	*das*	**Goethe-Werk**, *die Goethe-Werke*	work by Goethe	Goethe-Werke liest er nicht mehr.

Fit für Einheit 9? Testen Sie sich!

die	**Beziehung**, die Beziehungen	relationship	Goethe hatte viele Beziehungen zu Frauen.

Arbeitswelten

Arbeitswelten

der	***Berufswunsch****, die Berufswünsche*	job wish	über Berufswünsche sprechen
die	***Stellenanzeige****, die Stellenanzeigen*	job advertisement	Stellenanzeigen stehen in Zeitungen oder im Internet.
der	**Lebenslauf**, die Lebensläufe	resume	Wenn man eine Arbeit sucht, muss man einen Lebenslauf schreiben.
das	***Labor****, die Labore*	laboratory	Andrea arbeitet im Labor.
der	**Stall**, die Ställe	stable	Der Bauer arbeitet viel im Stall.
das	**Feld**, die Felder	field	Mit dem Traktor fährt er auf das Feld.
der	***Bau***	construction site	Ein Bauarbeitet arbeitet auf dem Bau.
das	***Gewächshaus****, die Gewächshäuser*	greenhouse	Ein Gärtner arbeitet im Gewächshaus.
die	***Fabrikhalle****, die Fabrikhallen*	factory building	In der Fabrikhalle stehen viele Maschinen.

die	**Umschulung**, die Umschulungen	retraining	Dann habe ich eine Umschulung gemacht.
die	**Zukunft**	future	Umschulung ist ein Schlüssel für die Zukunft.
der	***Mechaniker**, die Mechaniker*	mechanic (m)	Er hat eine Ausbildung zum Mechaniker.
die	***Mechanikerin**, die Mechanikerinnen*	mechanic (f)	Cindy hat eine Ausbildung zur Mechanikerin in Textiltechnik gemacht.
die	***Textiltechnik***	textile technology	Cindy hat eine Ausbildung zur Mechanikerin in Textiltechnik gemacht.
die	**Bewerbung**, die Bewerbungen	application	Ich habe circa 100 Bewerbungen geschrieben.
der	***Elektroniker für Energie- und Gebäudetechnik**, die Elektroniker für Energie- und Gebäudetechnik*	electronics engineer for energy and building services technology (m)	Er hat eine Umschulung zum Elektroniker für Energie- und Gebäudetechnik gemacht.

die	***Elektronikerin für Energie- und Gebäudetechnik**, die Elektronikerinnen für Energie- und Gebäudetechnik*	electronics engineer for energy and building services technology (f)	Cindy hat eine Umschulung zur Elektronikerin für Energie- und Gebäudetechnik gemacht.
die	***Energietechnik***	energy technology	Als Elektroniker für Energietechnik hat man gute Chancen.
die	***Gebäudetechnik***	building services technology	Als Elektroniker für Gebäudetechnik hat man gute Chancen.
	jobben, er jobbt, er hat gejobbt	(to) job	Dann hat er in einer Restaurantküche gejobbt.
die	***Großbäckerei**, die Großbäckereien*	industrial bakery	Drei Tage in der Woche war er in einer Großbäckerei.
	selbstständig (sich selbstständig machen), er macht sich selbständig, er hat sich selbständig gemacht	to become self-employed	Später hat er sich selbstständig gemacht.

der/die	**Angestellte**, die Angestellten	employee	Heute hat er drei Läden und acht Angestellte.
	froh	happy	Heute bin ich froh, dass ich das gemacht habe.
der	***Mädchen-Zukunftstag***	girls' future-day	Der Girls' Day ist ein Mädchen-Zukunftstag.
der	**Bereich**, die Bereiche	branch	In den Bereichen Technik, Wissenschaft und Handwerk gibt es viele Berufe.
die	**Wissenschaft**, die Wissenschaften	science	In den Bereichen Technik, Wissenschaft und Handwerk gibt es viele Berufe.
das	***Handwerk**, die Handwerke*	trades	Im Handwerk gibt es viele Berufe mit wenigen Frauen.
die	**Karriere**, die Karrieren	career	Beste Chancen für die Karriere in einem Betrieb.
der	**Betrieb**, die Betriebe	company	Beste Chancen für die Karriere in einem Betrieb.

1 Berufe: Ausbildung, Umschulung

1.1	*die*	***Magazinseite**, die Magazinseiten*	magazine page	Sehen Sie sich die Magazinseite an.

1.2	*der*	***Magazin-Beitrag**, die Magazin-Beiträge*	magazine article	Lesen Sie die Magazin-Beiträge.
		technisch	technical	Sie hat eine technische Ausbildung gemacht.
1.4	*die*	***Berufserfahrung**, die Berufserfahrungen*	job experience	Er spricht über seine Berufserfahrung.

2 Arbeit suchen und finden

2.1a	die	**Qualifikation**, die Qualifikationen	qualification	Welche Qualifikationen sollen die Bewerberinnen haben?
	der	***Bewerber**, die Bewerber*	applicant (m)	Der Bewerber soll gute Deutschkenntnisse haben.
	die	***Bewerberin**, die Bewerberinnen*	applicant (f)	Die Bewerberin soll gute Deutschkenntnisse haben.
	der	***Altenpfleger**, die Altenpfleger*	geriatric nurse (m)	Wir suchen einen Altenpfleger.
	die	***Altenpflegerin**, die Altenpflegerinnen*	geriatric nurse (f)	Wir suchen eine Altenpflegerin.

der	***Pflegehelfer**, die Pflegehelfer*	nursing assistant (m)	Er soll eine Ausbildung als Pflegehelfer haben.
die	***Pflegehelferin**, die Pflegehelferinnen*	nursing assistant (f)	Sie soll eine Ausbildung als Pflegehelferin haben.
die	***Deutschkenntnisse** (Pl.)*	German skills	Wir suchen eine Altenpflegerin mit guten Deutschkenntnissen.
die	***Flexibilität***	flexibility	Der Bewerber soll Flexibilität und Teamfähigkeit mitbringen.
die	**Teamfähigkeit**	ability to work in a team	Der Bewerber soll Flexibilität und Teamfähigkeit mitbringen.
der	**PKW**, die PKWs	car	Für den Job braucht man einen eigenen PKW.
die	***Pflege***	care	Wir suchen einen Altenpfleger für die ambulante Pflege.
	ambulant	ambulant	Wir suchen einen Altenpfleger für die ambulante Pflege.
der	***Schichtdienst**, die Schichtdienste*	shift-work	Die Arbeit findet im Schichtdienst statt.
	Ambulante Pflegedienste (APD)	care provider	Man soll die Bewerbung an APD - Ambulante Pflegedienste senden.

der	***Kaufmann**, die Kaufmänner*	business manager (m)	Die Firma sucht einen Kaufmann für Büromanagement.
die	***Kauffrau**, die Kauffrauen*	business manager (f)	Die Firma sucht eine Kauffrau für Büromanagement.
das	***Büromanagement***	office management	Die Firma sucht eine Kauffrau für Büromanagement.
	***koordinieren**, er koordiniert, er hat koordiniert*	(to) coordinate	Sie organisieren und koordinieren Termine.
	spannend	exciting	Sie übernehmen spannende Aufgaben.
der	***Bürokaufmann**, die Bürokaufmänner*	office administrator (m)	Der Bewerber braucht eine Ausbildung als Bürokaufmann.
die	***Bürokauffrau**, die Bürokauffrauen*	office administrator (f)	Die Bewerberin braucht eine Ausbildung als Bürokauffrau.
die	**Kenntnis**, die Kenntnisse	skill	Der Bewerber soll Kenntnisse in Word, Excel und Access haben.
	höflich	polite	Sie sind höflich und können gut organisieren?
das	**Team**, die Teams	team	Man soll gerne im Team arbeiten.

der	***Außenhandel***	foreign trade	Wir suchen eine Kauffrau im Außenhandel.
der	***Ausbildungsabschluss**, die Ausbildungsabschlüsse*	degree	Der Bewerber soll einen Ausbildungsabschluss haben.
die	***Englischkenntnisse** (Pl.)*	English skills	Der Bewerber braucht Englischkenntnisse.
die	***Computerkenntnisse** (Pl.)*	computer skills	Der Bewerber braucht Computerkenntnisse.
die	**Mobilität**	mobility	Der Bewerber soll Mobilität und Flexibilität mitbringen.
die	***Auslandstätigkeit**, die Auslandstätigkeiten*	foreign employment	Die Firma bietet eine interessante Auslandstätigkeit.
die	***Sozialleistung**, die Sozialleistungen*	benefits	Die Firma bietet attraktive Sozialleistungen.
der	***Maurer**, die Maurer*	mason (m)	Wir suchen einen Maurer.
die	***Maurerin**, die Maurerinnen*	mason (f)	Wir suchen eine Maurerin.
der	***Berufsanfänger**, die Berufsanfänger*	first-time employee (m)	Wir stellen auch Berufsanfänger ein.
die	***Berufsanfängerin**, die Berufsanfängerinnen*	first-time employee (f)	Wir stellen auch Berufsanfängerinnen ein.

	der **Führerschein**, die Führerscheine	driver's license	Für den Job braucht man einen Führerschein.
	die **Vollzeit**	full-time	Sie arbeiten auf Baustellen in Vollzeit.
2.1b	*die* ***Fremdsprachenkenntnisse*** *(Pl.)*	foreign-language skills	Für die Arbeitsstelle braucht man Fremdsprachenkenntnisse.
2.2	*die* ***Berufsrecherche****, die Berufsrecherchen*	occupation research	Wählen Sie einen Beruf aus und machen Sie eine Berufsrecherche.
2.2b	**präsentieren**, er präsentiert, er hat präsentiert	(to) present	Präsentieren Sie die Ergebnisse im Kurs.
2.3a	***persönliche Daten*** *(Pl.)*	personal data	Der Lebenslauf beginnt mit den persönlichen Daten.
	persönlich	personally	Zum Vorstellungsgespräch kommt man persönlich.
	die ***Anschrift****, die Anschriften*	address	Die Anschrift ist Ahornweg 23, 53177 Bonn.
	die ***Schulausbildung****, die Schulausbildungen*	school education	Sie hat ihre Schulausbildung mit dem Abitur abgeschlossen.
	der **Abschluss**, die Abschlüsse	degree	Sie hat einen Abschluss in Wirtschaft gemacht.
	das **Abitur**	A levels	Sie hat ihre Schulausbildung mit dem Abitur abgeschlossen.

	der **Industriekaufmann**, *die Industriekaufmänner*	industrial manager (m)	Danach hat er eine Ausbildung zum Industriekaufmann gemacht.
	die **Industriekauffrau**, *die Industriekauffrauen*	industrial manager (f)	Danach hat sie eine Ausbildung zur Industriekauffrau gemacht.
	die **Buchhaltung**	accounting	Sie hat fünf Jahre in der Buchhaltung gearbeitet.
	die **Sachbearbeitung**	(file) processing	Von 2009 bis 2015 hat sie in der Sachbearbeitung gearbeitet.
	der **Schulabschluss**, *die Schulabschlüsse*	school-leaving qualifications	Ihr Schulabschluss ist das Abitur.
2.3b	**Sehr geehrte/r...**	Dear ...	Sehr geehrter Herr Bach / Sehr geehrte Frau Bach
	senden, er sendet, er hat gesendet	(to) send	Meinen Lebenslauf sende ich Ihnen als Anhang.
	der **Anhang**, *die Anhänge*	attachment	Meinen Lebenslauf sende ich Ihnen als Anhang.
	Mit freundlichen Grüßen	with best regards	Mit freundlichen Grüßen Kristina Gärtner
2.3c	der **Vogel**, die Vögel	bird	Ich kann einen Vogel imitieren.
	imitieren, *er imitiert, er hat imitiert*	(to) imitate	Ich kann einen Vogel imitieren.

3 Berufswünsche: Eigentlich wollte ich Ärztin werden

3.1	*der*	***Kapitän**, die Kapitäne*	captain	Als Kind wollte ich Kapitän werden.
	der	***Filmstar**, die Filmstars*	film star	Als Kind wollte ich Filmstar werden.
	der	**Sänger**, die Sänger	singer (m)	Mit 18 Jahren wollte ich Sänger werden.
	die	**Sängerin**, die Sängerinnen	singer (f)	Mit 18 Jahren wollte ich Sängerin werden.
	der	**Bauer**, die Bauern	farmer (m)	Als Kind wollte ich Bauer werden.
	die	**Bäuerin**, die Bäuerinnen	farmer (f)	Als Kind wollte ich Bäuerin werden.
3.2b		***Geschichte***	history	Ich habe Geschichte studiert, denn das Fach war interessant.
	das	***Fach**, die Fächer*	subject	Ich habe Geschichte studiert, denn das Fach war interessant.
	der/ die	**Jugendliche**, die Jugendlichen	youngster	Als Jugendlicher wollte ich Biologe werden.
	der	***Biologe**, die Biologen*	biologist (m)	Als Jugendlicher wollte ich Biologe werden.
	die	***Biologin**, die Biologinnen*	biologist (f)	Als Jugendliche wollte ich Biologin werden.
3.4		***toi, toi, toi***	good luck	Toi, toi, toi wünscht Karl Moik aus Hanoi.

		neunundneunzig	ninety-nine	In neunundneunzig Träumen wächst die Zeit noch auf Bäumen.
		wachsen, er wächst, er ist gewachsen	(to) grow	In neunundneunzig Träumen wächst die Zeit noch auf Bäumen.
		***kauen**, er kaut, er hat gekaut*	(to) chew	Frauen kauen Kaugummis.
3.5a	*der*	***Facharbeiter**, die Facharbeiter*	skilled worker (m)	Mein Vater war Facharbeiter für Elektrotechnik.
	die	***Facharbeiterin**, die Facharbeiterinnen*	skilled worker (f)	Meine Mutter war Facharbeiterin für Elektrotechnik.
3.5d	*der*	***Praktikumsplatz**, die Praktikumsplätze*	internship	Ich habe einen Praktikumsplatz gesucht.
3.6b		***umschulen**, er schult um, er hat umgeschult*	(to) retrain	Nach der Ausbildung hat er auf Bäcker umgeschult.
	die	**Anmeldung**, die Anmeldungen	registration	Die Anmeldung findet von 15 Uhr bis 16 Uhr statt.
	das	***Privatgrundstück**, die Privatgrundstücke*	private property	Auf dem Privatgrundstück ist parken verboten.
3.6c		**parken**, er parkt, er hat geparkt	(to) park	Hier darf man nicht parken.

***betreten**, er betritt, er hat betreten* — (to) enter — Man darf die Baustelle nicht betreten.

***haften (für)**, er haftet, er hat gehaftet* — (to) be responsible (for) — Eltern haften für ihre Kinder.

3.7 **nachschlagen**, er schlägt nach, er hat nachgeschlagen — (to) look up — Er hat den Konjunktiv in der Grammatik nachgeschlagen.

4 Höflichkeit am Arbeitsplatz: Der Ton macht die Musik

die **Höflichkeit** — politeness — Höflichkeit ist am Arbeitsplatz besonders wichtig.

*der **Ton**, die Töne* — tone — Der Ton macht die Musik.

4.1 **aufmachen**, er macht auf, er hat aufgemacht — (to) open — Könnten Sie mal die Tür aufmachen?

zurückrufen, er ruft zurück, er hat zurückgerufen — (to) call back — Kann ich Sie morgen zurückrufen?

4.2	**entschuldigen (sich für)**, er entschuldigt sich, er hat sich entschuldigt	(to) excuse oneself	Höfliches Sprechen heißt, dass man sich entschuldigt.
	unhöflich	impolite	Auf Deutsch kann auch ein Satz mit „bitte" und „danke" unhöflich sein.
	die ***Intonation***	intonation	Es kommt auf die Intonation an.
	unfreundlich	unfriendly	Man kann einen Satz freundlich oder unfreundlich betonen.
	die ***Körpersprache****, die Körpersprachen*	body language	Auch die Körpersprache kann Höflichkeit ausdrücken.
	ausdrücken*, er drückt aus, er hat ausgedrückt*	(to) express	Auch die Körpersprache kann Höflichkeit ausdrücken.
	der ***Dialogpartner****, die Dialogpartner*	dialogue partner (m)	Darf man dem Dialogpartner direkt in die Augen schauen?
	die ***Dialogpartnerin****, die Dialogpartnerinnen*	dialogue partner (f)	Darf man der Dialogpartnerin direkt in die Augen schauen?
	direkt	direct	In Deutschland sollte man Dialogpartnern direkt in die Augen schauen.

	die	**Stimme**, die Stimmen	voice	Auf Englisch ist eine hohe Stimme am Satzanfang höflich.
		zuhören, er hört zu, er hat zugehört	(to) listen	Am besten ist, Sie hören genau zu.
4.3		***zumachen***, *er macht zu, er hat zugemacht*	(to) close	Könntest du bitte das Fenster zumachen?
	das	**Taschentuch**, die Taschentücher	handkerchief	Hättest du ein Taschentuch für mich?
	das	**Treffen**, die Treffen	meeting	Hätten Sie morgen Zeit für ein Treffen?
4.6		**hinterlassen**, er hinterlässt, er hat hinterlassen	(to) leave	Frau Kalbach möchte keine Nachricht hinterlassen.
4.7b	der	**Rückruf**, die Rückrufe	return call	Herr Grunow bittet um Rückruf.
		dringend	urgently	Er braucht dringend einen Termin mit Herrn Tauber.
		notieren, er notiert, er hat notiert	(to) note down	Herr Döpel notiert ihre Frage.
		unterbrechen, er unterbricht, er hat unterbrochen	(to) interrupt	Entschuldigung, dass ich Sie unterbreche.

	verbinden (sich verbinden lassen), er lässt sich verbinden, er hat sich verbinden lassen	(to) connect	Könnten Sie mich bitte mit Frau Döpel verbinden.
	bedanken (sich), er bedankt sich, er hat sich bedankt	(to) thank	Er bedankt sich für die Hilfe.
	verabschieden (sich), er verabschiedet sich, er hat sich verabschiedet	(to) take one's leave	Er verabschiedet sich von Herrn Granzow.
die	**Auskunft**, die Auskünfte	information	Vielen Dank für die Auskunft.

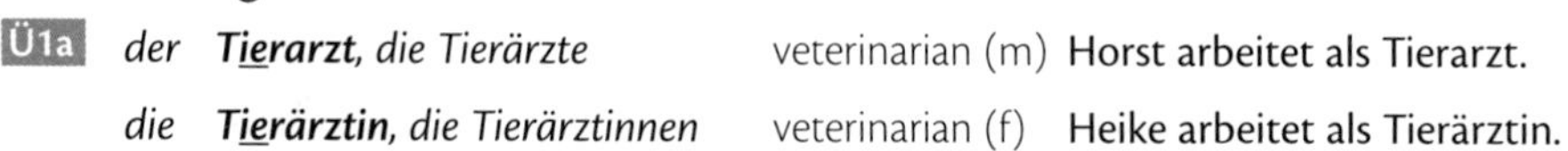

Ü Übungen

Ü1a *der*	***Tierarzt**, die Tierärzte*	veterinarian (m)	Horst arbeitet als Tierarzt.
die	***Tierärztin**, die Tierärztinnen*	veterinarian (f)	Heike arbeitet als Tierärztin.
der	***Landschaftsarchitekt**, die Landschaftsarchitekten*	landscape architect (m)	Er berichtet von seinem Beruf als Landschaftsarchitekt.
die	***Landschaftsarchitektin**, die Landschaftsarchitektinnen*	landscape architect (f)	Sie berichtet von ihrem Beruf als Landschaftsarchitektin.

Ü2a		**zurzeit**	at present	Cindy ist zurzeit arbeitslos.
	das	**Gerät**, die Geräte	electrical device	Mehmet Güler repariert gerne elektrische Geräte.
Ü3a	*die*	***Wortliste****, die Wortlisten*	word list	Wählen Sie das richtige Wort aus der Wortliste.
	die	***Lücke****, die Lücken*	gap	Setzen Sie das richtige Wort in jede Lücke.
		übrig bleiben*, es bleibt übrig, es ist übrig geblieben*	(to) remain left over	Einige Wörter bleiben übrig.
	die	**Industrie**, die Industrien	industry	Beim Girls' Day gibt es Informationen über Berufe in der Industrie.
	die	***Girls' Day-Teilnehmerin****, Girls' Day-Teilnehmerinnen*	Girls'-Day participant	Viele Girls' Day-Teilnehmerinnen arbeiten heute im Technikbereich.
	der	***Technikbereich****, die Technikbereiche*	technical area	Viele Girls' Day-Teilnehmerinnen arbeiten heute im Technikbereich.
Ü4a	*der*	***Kinderkrankenpfleger****, die Kinderkrankenpfleger*	pediatric nurse (m)	Die Ausbildung zum Kinderkrankenpfleger dauert vier Jahre.
	die	***Kinderkrankenpflegerin****, die Kinderkrankenpflegerinnen*	pediatric nurse (f)	Die Ausbildung zur Kinderkrankenpflegerin dauert vier Jahre.
Ü5a	*die*	***Büroaufgabe****, die Büroaufgaben*	office task	Ein Kaufmann für Büromanagement organisiert Büroaufgaben.

	kaufmännisch	managerial	Außerdem hat man kaufmännische Tätigkeiten.
das	**Unternehmen**, *die Unternehmen*	company	Man arbeitet in der Verwaltung von Unternehmen.
der	**Öffentliche Dienst**	public service	Man arbeitet im öffentlichen Dienst.
die	**Ausbildungszeit**, *die Ausbildungszeiten*	training period	Die Ausbildungszeit dauert drei Jahre.
der	**Hausbau**	residential construction	Ein Maurer baut Mauern, zum Beispiel im Hausbau.
die	**Ware**, *die Waren*	merchandise	Ein Kaufmann im Außenhandel kauft Waren und verkauft sie weiter.
	weiterverkaufen, *er verkauft weiter, er hat weiterverkauft*	(to) resell	Ein Kaufmann im Außenhandel kauft Waren und verkauft sie weiter.
der	**Handel**	retail market	Er verkauft die Waren an Handel, Handwerk und Industrie.
das	**Altenheim**, *die Altenheime*	seniors' home	Man arbeitet oft in Altenheimen.
Ü5d	**ordentlich**	tidy	Der Bewerber soll ordentlich sein.

Ü6	der	**Computerkurs**, *die Computerkurse*	computer course	In der Schule hatte ich einen Computerkurs.
		dreijährig	three-year	Nach der Schule muss ich eine dreijährige Ausbildung machen.
	der	**Spiele-Designer**, *die Spiele-Designer*	game designer (m)	Nach der Schule muss ich eine Ausbildung zum Spiele-Designer machen.
	die	**Spiele-Designerin**, *die Spiele-Designerinnen*	game designer (f)	Nach der Schule muss ich eine Ausbildung zur Spiele-Designerin machen.
	die	**Mediendesign-Hochschule**, *Mediendesign-Hochschulen*	media-design college	Ich kann auch an einer Mediendesign-Hochschule studieren.
Ü7	das	**Passfoto**, *die Passfotos*	passport photo	Rechts oben kommt das Passfoto hin.
	das	**Geburtsdatum**, *die Geburtsdaten*	date of birth	Am Anfang stehen die persönlichen Daten, wie Geburtsdatum, Geburtsort.
	der	**Geburtsort**, *die Geburtsorte*	place of birth	Am Anfang stehen die persönlichen Daten, wie Geburtsdatum, Geburtsort.
		hinkommen, *er kommt hin, er ist hingekommen*	(to) come	Rechts oben kommt das Passfoto hin.
Ü8a	der	**Tanz**, die Tänze	dance	Warum hat Katja Tanz studiert?

	die	**Ballerina**, *die Ballerinas*	ballerina	Als Kind wollte sie Ballerina werden.
	der	**Dọlmetscher**, *die Dolmetscher*	interpreter (m)	Als Kind wollte er Dolmetscher werden.
	die	**Dọlmetscherin**, *die Dolmetscherinnen*	interpreter (f)	Als Kind wollte sie Dolmetscherin werden.
	der	**Tạ̈nzer**, *die Tänzer*	dancer (m)	Ich wollte Tänzer werden und habe Tanz studiert.
	die	**Tạ̈nzerin**, *die Tänzerinnen*	dancer (f)	Ich wollte Tänzerin werden und habe Tanz studiert.
	der	**Fịtnesstrainer**, *die Fitnesstrainer*	fitness trainer (m)	Aber ich arbeite auch als Fitnesstrainer.
	die	**Fịtnesstrainerin**, *die Fitnesstrainerinnen*	fitness trainer (f)	Aber ich arbeite auch als Fitnesstrainerin.
Ü9		**wenige**	few	Es gibt wenige Stellen für Architekten.
	der	**Architẹkt**, *die Architekten*	architect (m)	Es gibt wenige Stellen für Architekten.
	die	**Architẹktin**, *die Architektinnen*	architect (f)	Es gibt wenige Stellen für Architektinnen.
	die	**Teilzeit**	part-time	Mareike arbeitet in Teilzeit.
Ü10	*der*	**Deutschtest**, *die Deutschtests*	German test	Sie möchte den Deutschtest schaffen.

		tabellarisch	in table form	Für die Bewerbung braucht sie einen tabellarischen Lebenslauf.
	die	**Daten** (Pl.)	data	Die persönlichen Daten stehen am Anfang.
Ü11a	*die*	***Leistung**, die Leistungen*	achievement	Wie sind Ihre Leistungen in Deutsch?
Ü12		**perfekt**	perfect	Beim Schreiben bin ich nicht perfekt.
		deshalb	therefore	Ich mache deshalb einen Französischkurs.
Ü16	*die*	***Gebäudetechnik**, die Gebäudetechniken*	building technology	Wir haben mit der Gebäudetechnik im Haus Probleme.
	der	***Elektriker**, die Elektriker*	electrician (m)	Wir brauchen einen Elektriker.
	die	***Elektrikerin**, die Elektrikerinnen*	electrician (f)	Wir brauchen eine Elektrikerin.
		danke schön	thank you	Danke schön und auf Wiederhören.

Station 3

1 Berufsbilder

1.1	*der* ***Ergotherapeut**, die Ergotherapeuten*	ergotherapist (m)	Ein Ergotherapeut arbeitet mit Patienten.
	die ***Ergotherapeutin**, die Ergotherapeutinnen*	ergotherapist (f)	Eine Ergotherapeutin arbeitet mit Patienten.
1.1a	*der* ***Gesundheitsberuf**, die Gesundheitsberufe*	health-care occupations	Ärzte und Ergotherapeuten sind Gesundheitsberufe.
1.1b	***bewegen**, er bewegt, er hat bewegt*	(to) move	Die Patienten können sich nicht richtig bewegen.
	die ***Therapie**, die Therapien*	therapy	Die Ergotherapeuten planen die Therapie mit den Ärzten zusammen.
	der ***Fachschulunterricht***	trade school	Der Fachschulunterricht ist eine Mischung aus Theorie und praktischer Arbeit.
	die ***Theorie**, die Theorien*	theory	Der Fachschulunterricht ist eine Mischung aus Theorie und praktischer Arbeit.

der	***Berufsalltag***	working life	Wir lernen den Berufsalltag in vier Praktika kennen.
das	***Seniorenheim**, die Seniorenheime*	seniors' residence	Zurzeit macht sie ein Praktikum in einem Seniorenheim.
	alltäglich	commonplace	Anna übt mit den alten Menschen alltägliche Bewegungen.
	hyperaktiv	hyperactive	Sie hat auch schon mit hyperaktiven Kindern gearbeitet.
	***konzentrieren (sich)**, er konzentriert sich, er hat sich konzentriert*	(to) concentrate	Hyperaktive Kinder können sich nur schwer konzentrieren.
	***nachbauen**, er baut nach, er hat nachgebaut*	(to) build a copy	Sie hat mit den Kindern das Nachbauen von Strukturen geübt.
die	***Struktur**, die Strukturen*	structure	Sie hat mit den Kindern das Nachbauen von Strukturen geübt.
	konzentriert	concentrated	Sie sollen so das konzentrierte Spielen lernen.
das	***Ausbildungsjahr**, die Ausbildungsjahre*	year of training	Anna ist im dritten Ausbildungsjahr.

	die	***Berufsfachschule**, die Berufsfachschulen*	trade school	Sie lernt an einer Berufsfachschule.
1.2	*die*	***Kursstatistik**, die Kursstatistiken*	class statistic	Machen Sie eine Kursstatistik.
1.3a		***einsammeln**, er sammelt ein, er hat eingesammelt*	(to) collect	Sammeln Sie die Zettel ein.
		***aufspringen**, er springt auf, er ist aufgesprungen*	(to) jump up	Jede Gruppe springt bei „ihrem" Artikel auf.
1.3b		***aufstellen (sich)**, er stellt sich auf, er hat sich aufgestellt*	(to) stand	Die Gruppe stellt sich im Kreis auf.
	der	***Kreis**, die Kreise*	circle	Die Gruppe stellt sich im Kreis auf.

2 Wörter – Spiele – Training

2.1	*das*	***Beruferaten***	guessing occupations	Heute spielen wir Beruferaten im Kurs.
2.1a	*der*	***Automechaniker**, die Automechaniker*	auto mechanic (m)	Der Automechaniker repariert Autos.

	die	***Automechanikerin**, die Automechanikerinnen*	auto mechanic (f)	Die Automechanikerin repariert Autos.
2.1b		***fünfmal***	five times	Nach fünfmal „nein“ hat die Gruppe gewonnen.
		tagsüber	during the day	Arbeitest du tagsüber oder nachts?
		nachts	at night	Arbeitest du tagsüber oder nachts?
2.2		**setzen (sich)**, er setzt sich, er hat sich gesetzt	(to) sit down	Die Teilnehmer setzen sich Rücken an Rücken.
2.4a		***zusammenzählen**, er zählt zusammen, er hat zusammengezählt*	(to) add up	Zählen Sie die Punkte in der Tabelle zusammen.
	die	***Auflösung**, die Auflösungen*	solution	Die Auflösung finden Sie auf Seite 248.
		***einziger**, einziges, einzige*	single	Ich kenne keinen einzigen Nachbarn.
	das	***Straßencafé**, die Straßencafés*	sidewalk cafe	In meiner Freizeit bin ich am liebsten im Straßencafé.
		total	totally	Natur ist total langweilig.
	die	***Parkplatzsuche***	looking for a parking spot	Ich hasse Parkplatzsuche.

	der **Flughafen**, die Flughäfen	airport	Zu Hause heißt für mich schnell zum Flughafen kommen.

3 Filmstation

3.1b	*der* ***Landwirt****, die Landwirte*	farmer (m)	Der Landwirt füttert die Tiere und reinigt den Stall.
	die ***Landwirtin****, die Landwirtinnen*	farmer (f)	Die Landwirtin füttert die Tiere und reinigt den Stall.
3.1c	*die* ***Landwirtschaft***	agriculture	Melanie findet die Arbeit in der Landwirtschaft langweilig.
3.1d	*die* ***Milchkönigin****, die Milchköniginnen*	milk princess	Melanie ist Milchkönigin und informiert über Landwirtschaft.
3.2	*der* ***Weltruf***	world-wide reputation	Weimar ist eine Kleinstadt mit Weltruf.
3.2c	*der* ***Höhepunkt****, die Höhepunkte*	high point	Die Bibliothek ist ein Höhepunkt für jede Reisegruppe.
	die ***Reisegruppe****, die Reisegruppen*	tour group	Die Bibliothek ist ein Höhepunkt für jede Reisegruppe.

	weltoffen	cosmopolitan	Noriko gefällt die weltoffene Art der Bewohner.
der	***Weimarer**, die Weimarer*	Weimarian (m)	Viele Weimarer haben den Brand nicht vergessen.
die	***Weimarerin**, die Weimarerinnen*	Weimarian (f)	Viele Weimarerinnen haben den Brand nicht vergessen.
3.2d *die*	***Persönlichkeit**, die Persönlichkeiten*	personality	In der Stadt haben viele berühmte Persönlichkeiten gewohnt.

4 Magazin

die	**Nachrichten** (Pl.)	news	In vielen Nachrichten spielen Tiere eine wichtige Rolle.
die	***Rolle (eine wichtige Rolle spielen)**, er spielt eine wichtige Rolle, er hat eine wichtige Rolle gespielt*	role	In vielen Nachrichten spielen Tiere eine wichtige Rolle.
das	***Jahrhundert**, die Jahrhunderte*	century	Menschen und Tiere leben seit Jahrhunderten zusammen.
	menschlich	human	Menschen finden es witzig, wenn Tiere menschlich sind.

	unersetzlich	irreplaceable	Als Mensch ist er unersetzlich.
	Tierisches	anything to do with animals	Die Zeitung berichtet Tierisches aus aller Welt.
das	***Feuerdrama****, die Feuerdramen*	fire drama	Feuerdrama in Bayern: Ronja rettet Familie das Leben.
	wau	bow-wow	Ein Hund macht wau.
die	***Husky-Hündin****, die Husky-Hündinnen*	husky bitch	Die Husky-Hündin Ronja hat ihrem Frauchen das Leben gerettet.
das	***Frauchen****, die Frauchen*	mistress	Die Husky-Hündin Ronja hat ihrem Frauchen das Leben gerettet.
	brennen*, es brennt, es hat gebrannt*	(to) burn	Das Haus brannte schon bis zum Dach.
	bellen*, er bellt, er hat gebellt*	(to) bark	Ronja bellte laut und sprang auf das Bett von Heidi.
	wecken*, er weckt, er hat geweckt*	(to) wake	Die Frau weckte ihre Töchter und ihren Mann.
der	***Bürgermeister****, die Bürgermeister*	mayor (m)	Der Bürgermeister von Lembach bedankt sich bei Ronja.

die	**Bürgermeisterin**, *die Bürgermeisterinnen*	mayor (f)	Die Bürgermeisterin von Lembach bedankt sich bei Ronja.
die	**Rettung**, *die Rettungen*	rescue	Es war eine Rettung in letzter Minute.
das	**Zuhause**	home	Die Familie hat jetzt kein Zuhause mehr.
der	**Schönheitswettbewerb**, *die Schönheitswettbewerbe*	beauty contest	Eine Kuh gewinnt den Schönheitswettbewerb.
	schwarz-weiß	black-and-white	Das schwarz-weiß gefleckte Tier gewann den ersten Preis.
	gefleckt	spotted	Das schwarz-weiß gefleckte Tier gewann den ersten Preis.
der	**Landkreis**, *die Landkreise*	county	Die Kuh aus dem Landkreis Osnabrück setzte sich durch.
	durchsetzen (sich), *er setzt sich durch, er hat sich durchgesetzt*	(to) be successful	Die Kuh aus dem Landkreis Osnabrück setzte sich durch.
der	**Konkurrent, die Konkurrenten**	contestant (m)	Sie setzte sich gegen 215 Konkurrenten durch.
die	**Konkurrentin**, *die Konkurrentinnen*	contestant (f)	Sie setzte sich gegen 215 Konkurrentinnen durch.

der	***Zuschauer**, die Zuschauer*	spectator (m)	Die Zuschauer waren begeistert.
die	***Zuschauerin**, die Zuschauerinnen*	spectator (f)	Die Zuschauer waren begeistert.
	begeistert	enthusiastic	Die Zuschauer waren begeistert.
die	***Jury**, die Jurys*	jury	Die Jury wählte sie schon einmal zur Sieger-Kuh.
die	***Sieger-Kuh**, die Sieger-Kühe*	winning cow	Die Jury wählte sie schon einmal zur Sieger-Kuh.
der	***Promi**, die Promis*	celebrity	Da haben wir jetzt einen echten Promi im Stall.
der	***Besitzer**, die Besitzer*	owner (m)	Der Besitzer freute sich.
die	***Besitzerin**, die Besitzerinnen*	owner (f)	Die Besitzerin freute sich.
das	***Model**, die Models*	model	Wie bei menschlichen Models ist gutes Aussehen ein Muss.
das	*Aussehen*	appearance	Wie bei menschlichen Models ist gutes Aussehen ein Muss.
die	***Figur**, die Figuren*	figure	Eine gute Figur ist ein absolutes Muss für die Kühe.
	absolut	absolute	Eine gute Figur ist ein absolutes Muss für die Kühe.
das	***Fußball-Orakel**, die Fußball-Orakel*	soccer oracle	Der Krake Paul wurde als Fußball-Orakel berühmt.

der	***Krake***, *die Kraken*	octopus	Der Krake Paul wurde als Fußball-Orakel berühmt.
	voraussagen, *er sagt voraus, er hat vorausgesagt*	(to) predict	Paul sagte fast alle Spiele richtig voraus.
die	***Fußball-Europameisterschaft***	European championship	Bei der Fußball-Europameisterschaft 2008 sagte er alle Spiele richtig voraus.
die	***Fußball-Weltmeisterschaft***	world championship	Bei der Fußball-Weltmeisterschaft 2010 sagte er alle Spiele richtig voraus.
die	***Glas-Box***, *die Glas-Boxen*	glass box	Einige Tage vorher wurden zwei Glas-Boxen in das Aquarium gesenkt.
	senken, *er senkt, er hat gesenkt*	(to) sink	Einige Tage vorher wurden zwei Glas-Boxen in das Aquarium gesenkt.
die	***Box***, *die Boxen*	box	Paul fraß sein Futter aus einer Box.
das	***Futter***	feed	In den Boxen war Wasser und Futter.
die	***Nationalflagge***, *die Nationalflaggen*	national flag	Auf einer Seite waren die Nationalflaggen.
	gegeneinander	against one another	Die Länder mussten gegeneinander spielen.

	***fressen**, er frisst, er hat gefressen*	(to) eat	Paul fraß sein Futter aus einer Box.
die	***WM** (=Weltmeisterschaft)*	World championship	Bei der WM 2010 wählte er acht Mal richtig aus.
die	***Sieger-Flagge**, die Sieger-Flaggen*	winner's flag	Er wählte acht Mal richtig die Box mit der Sieger-Flagge aus.
das	***Finale**, die Finale*	final	Er sagte auch den Sieg Spaniens im Finale voraus.
der	***Orakel-Krake**, die Orakel-Kraken*	oracle octopus	Kein anderer Orakel-Krake hatte so oft Recht wie Paul.
	***schießen**, er schießt, er hat geschossen*	(to) shoot	In Bulgarien hat ein Hund auf sein Herrchen geschossen.
der	***Jäger**, die Jäger*	hunter (m)	Der Hund hat den Jäger leicht verletzt.
die	***Jägerin**, die Jägerinnen*	hunter (f)	Der Hund hat die Jägerin leicht verletzt.
das	***Herrchen**, die Herrchen*	master	In Bulgarien hat ein Hund auf sein Herrchen geschossen.
das	***Unglück***	accident	Das Unglück passierte im Nordosten des Landes.
die	***Jagd**, die Jagden*	hunt	Der Mann war auf der Jagd und hat auf einen Vogel geschossen.

das	***Gewehr**, die Gewehre*	gun	Der Mann hat den Hund mit dem Gewehr geschlagen.
	***schlagen**, er schlägt, er hat geschlagen*	(to) hit	Der Mann hat den Hund mit dem Gewehr geschlagen.
	***treten (auf etw.)**, er tritt, er ist getreten*	(to) step (on)	Dabei ist der Hund auf den Abzug getreten.
der	***Abzug**, der Abzüge*	trigger	Dabei ist der Hund auf den Abzug getreten.
der	***Schuss**, die Schüsse*	shot	Der Schuss hat den Jäger getroffen.
	betrunken	drunk	Die Tiere sind betrunken durch den Wald gelaufen.
der	***Elch**, die Elche*	moose	Aggressive betrunkene Elche sind ganz normal im Herbst.
	***randalieren**, er randaliert, er hat randaliert*	(to) rampage	Betrunkene schwedische Elche randalieren vor Seniorenheim.
der	***Genuss**, die Genüsse*	consumption	Die großen Tiere waren nach dem Genuss von Äpfeln außer Kontrolle.
	faul	rotten	Viele Äpfel sind faul und enthalten Alkohol.
die	***Kontrolle (außer Kontrolle)***	out of control	Die großen Tiere waren nach dem Genuss von Äpfeln außer Kontrolle.

der	**Polizist**, die Polizisten	police officer (m)	Polizisten mit Hunden mussten die Bewohner schützen.
die	**Polizistin**, die Polizistinnen	police officer (f)	Polizistinnen mit Hunden mussten die Bewohner schützen.
das	***Polizeikommando**, die Polizeikommandos*	special-unit police officer	Auch ein Polizeikommando mit Hunden konnte die Elche nicht stoppen.
	***stoppen**, er stoppt, er hat gestoppt*	(to) stop	Auch ein Polizeikommando mit Hunden konnte die Elche nicht stoppen.
der	***Polizeisprecher**, die Polizeisprecher*	Police spokesperson (m)	Der Polizeisprecher sagte: „Das ist ganz normal im Herbst."
die	***Polizeisprecherin**, die Polizeisprecherinnen*	Police spokesperson (f)	Die Polizeisprecherin sagte: „Das ist ganz normal im Herbst."
	aggressiv	aggressive	Aggressive betrunkene Elche sind ganz normal im Herbst.
der	***Apfelfan**, die Apfelfans*	apple fan	Die Tiere sind richtige Apfelfans.
der	***Boden**, die Böden*	ground	Viele Äpfel, die am Boden liegen, enthalten Alkohol.

	normalerweise	normally	Der Elch ist normalerweise ein sehr friedliches Tier.
	friedlich	peaceful	Der Elch ist normalerweise ein sehr friedliches Tier.
das	***Tierheim**, die Tierheime*	animal shelter	Im Tierheim Berlin finden verschiedene Veranstaltungen statt.
das	***Familienwochenende**, die Familienwochenenden*	family weekend	Am 25. und 26. Juli ist das Familienwochenende.
das	***Spendenkonto**, die Spendenkonten*	account for donations	Das Tierheim hat ein Spendenkonto.
das	***Eichhörnchen**, die Eichhörnchen*	squirrel	Ein Eichhörnchen unterbricht das Champions-League-Spiel.
das	***Champions-League-Spiel**, die Champions-League-Spiele*	champions league game	Ein Eichhörnchen unterbricht das Champions-League-Spiel.
der	***Medienstar**, die Medienstars*	media star	Das kleine Tier wird in England zum Medienstar.
	***rennen**, er rennt, er ist gerannt*	(to) run	Beim Spiel rannte ein Grauhörnchen zehn Minuten lang durch den Strafraum.
das	***Grauhörnchen**, die Grauhörnchen*	grey squirrel	Das Grauhörnchen hat seine europäischen roten Verwandten fast ganz verdrängt.

der	***Strafraum**, die Strafräume*	penalty area	Das Grauhörnchen rannte zehn Minuten durch den Strafraum.
der	***Arsenal-Keeper***	Arsenal keeper (goalie)	Es war zu schnell für Arsenal-Keeper Jens Lehmann.
	***einwandern**, er wandert ein, er ist eingewandert*	(to) migrate	Das Grauhörnchen ist aus Amerika eingewandert.
	***verdrängen**, er verdrängt, er hat verdrängt*	(to) displace	Das Grauhörnchen hat seine europäischen roten Verwandten fast ganz verdrängt.
	robust	robust	Es ist robuster und kommt vor allem in Städten gut zurecht.
	***zurecht kommen**, er kommt zurecht, er ist zurecht gekommen*	(to) cope	Es ist robuster und kommt vor allem in Städten gut zurecht.
	mitten in	in the middle of	Mitten in der ersten Halbzeit rannte es auf das Feld.
die	***Halbzeit**, die Halbzeiten*	half-time	Mitten in der ersten Halbzeit rannte es auf das Feld.
das	***Tor**, die Tore*	goal	Es ist in die Nähe von Arsenals Tor gelaufen.

***rụmturnen**, er turnt rum, er ist rumgeturnt*	(to) run around	Es turnte irgendwo links rum.
***verjagen**, er verjagt, er hat verjagt*	(to) chase away	Es ließ sich erst nach ein paar Minuten verjagen.

10 Feste und Feiern

die	**Feier**, die Feiern	celebration	Wir feiern viele Feste.
der	***Brauch**, die Bräuche*	custom	Es gibt in Deutschland viele Bräuche.
die	**Bedịngung**, die Bedingungen	condition	Die Bedingung ist, dass du einen Deutschkurs machst.
die	**Fọlge**, die Folgen	consequence	Das wird Folgen haben.
das	***Dịrndl**, die Dirndl*	dirndl	Das Dirndl trägt man beim Oktoberfest.
der	***Advẹntskranz**, die Adventskränze*	advent wreath	Der Adventskranz gehört zu Weihnachten.

das	**Osterei**, die Ostereier	Easter egg	Zu Ostern verschenkt man in ganz Europa Ostereier.
die	***Maske**, die Masken*	mask	Die Maske gehört zu Karneval.
der	***Osterhase**, die Osterhasen*	Easter bunny	Der Osterhase bringt die Ostereier.
die	***Valentinstagskarte**, die Valentinstagskarten*	Valentine's card	Er schickt ihr eine Valentinstagskarte.
der	***Valentinstag**, die Valentinstage*	Valentine's Day	Am Valentinstag machen sich Verliebte kleine Geschenke.

1 Feste feiern

	der	**Karneval**, die Karnevale/Karnevals	Carnival	Man feiert Karneval im ganzen deutschsprachigen Raum.
		Weihnachten	Christmas	An Weihnachten bekommt man Geschenke.
		Halloween	Halloween	Zu Halloween verkleiden sich die Kinder als Geister.
1.2a	das	**Wissen**	knowledge	Der Artikel steht unter Kultur & Wissen.
	der	***Exporthit**, die Exporthits*	export hit	Weihnachten ist ein Exporthit.

der	***Globus***, *die Globen*	globe	Feste wandern rund um den Globus.
das	***Weihnachtssymbol***, *die Weihnachtssymbole*	Christmas symbol	Viele Weihnachtssymbole kommen aus den deutschsprachigen Ländern.
	deutschsprachig	German-speaking	Viele Weihnachtssymbole kommen aus den deutschsprachigen Ländern.
der	**Weihnachtsbaum**, die Weihnachtsbäume	Christmas tree	Der Weihnachtsbaum wurde weltweit exportiert.
die	***Chronik***, *die Chroniken*	chronicle	Eine Chronik aus Bremen berichtet von dem ersten Weihnachtsbaum.
der	**Tannenbaum**, die Tannenbäume	fir tree	Sie berichtet von einem kleinen Tannenbaum mit Äpfeln.
die	***Leckerei***, *die Leckereien*	dainty	Zu Weihnachten durften die Kinder die Leckereien aufessen.
	aufessen, *er isst auf, er hat aufgegessen*	(to) eat up	Zu Weihnachten durften die Kinder die Leckereien aufessen.
der	***Auswanderer***, *die Auswanderer*	emigrant (m)	Deutschsprachige Auswanderer haben den Osterhasen mitgenommen.
die	***Auswanderin***, *die Auswanderinnen*	emigrant (f)	Deutschsprachige Auswanderinnen haben den Osterhasen mitgenommen.

	mitnehmen, er nimmt mit, er hat mitgenommen	(to) bring with	Sie haben den Brauch nach Australien mitgenommen.
der/die	***Verliebte***, *die Verliebten*	lover	Am Valentinstag machen sich Verliebte kleine Geschenke.
	verkleiden (sich), *er verkleidet sich, er hat sich verkleidet*	(to) dress up in a costume	Sich verkleiden macht Spaß, vor allem zu Karneval.
der	***Geist***, *die Geister*	ghost	Zu Halloween verkleiden sich die Kinder als Geister.
die	***Süßigkeit***, *die Süßigkeiten*	sweet	Sie gehen von Haus zu Haus und sammeln Süßigkeiten.
das	***Halloween-Symbol,*** *die Halloween-Symbole*	Halloween symbol	Das wichtigste Halloween-Symbol ist der Kürbis.
der	**Kürbis**, die Kürbisse	pumpkin	Das wichtigste Halloween-Symbol ist der Kürbis.
die	**Kerze**, die Kerzen	candle	Man schneidet Augen, Nase und Mund in den Kürbis und stellt eine Kerze hinein.
	hineinstellen, *er stellt hinein, er hat hineingestellt*	(to) put (inside)	Man schneidet Augen, Nase und Mund in den Kürbis und stellt eine Kerze hinein.

	vertreiben, *er vertreibt, er hat vertrieben*	(to) drive away	Wenn man eine Kerze hineinstellt, vertreibt das die bösen Geister.
	böse	evil	Wenn man eine Kerze hineinstellt, vertreibt das die bösen Geister.
der	***Clown**, die Clowns*	clown	Man kann sich als Clown, Cowboy oder Prinzessin verkleiden.
der	***Cowboy**, die Cowboys*	cowboy	Man kann sich als Clown, Cowboy oder Prinzessin verkleiden.
die	***Prinzessin**, die Prinzessinnen*	princess	Man kann sich als Clown, Cowboy oder Prinzessin verkleiden.
der	**Fasching**	Mardi Gras	Ein anderes Wort für Karneval ist Fasching.
die	**Fastnacht/Fasnacht**	Shrovetide	In Süddeutschland heißt der Karneval Fasnacht oder Fastnacht.
der	**Raum**, die Räume	area	Man feiert Karneval im ganzen deutschsprachigen Raum.
	wahrscheinlich	probably	Das Oktoberfest ist wahrscheinlich der zweitgrößte Exporthit.
	zweitgrößte	second-largest	Das Oktoberfest ist wahrscheinlich der zweitgrößte Exporthit.

	die ***Blasmusik***	wind music	Man feiert es mit Bier und Blasmusik.
1.3	der **Herbst**, die Herbste	autumn	Wir feiern im Herbst das Oktoberfest.

2 Ein Jahr – viele Feste

2.1a	das **Kostüm**, die Kostüme	costume	Sie tragen bunte Kostüme und feiern auf der Straße.
	die ***Kamelle****, die Kamellen*	candy	Zum Karneval in Köln gibt es Kamelle (Bonbons).
	der/das ***Bonbon****, die Bonbons*	candy	Zum Karneval in Köln gibt es Kamelle (Bonbons).
	das ***Bützchen****, die Bützchen*	kiss	Zum Karneval in Köln gibt es Bützchen (Küsschen).
	verstecken, er versteckt, er hat versteckt	(to) hide	Der Osterhase versteckt für die Kinder Ostereier.
	das ***Eierklopfen***	egg tapping	Ein anderer Brauch ist das Eierklopfen oder das Eierwerfen.
	das ***Eierwerfen***	egg throwing	Ein anderer Brauch ist das Eierklopfen oder das Eierwerfen.
	unterschiedlich	differently	Sommerfeste feiert man überall unterschiedlich.

das	***Weinfest**, die Weinfeste*	wine festival	Im Rheingebiet feiert man Weinfeste.
das	***Dorffest**, die Dorffeste*	village festival	Das sind Dorffeste mit Musik, Tanz und einem Umzug.
der	**Tanz**, die Tänze	dance	Das sind Dorffeste mit Musik, Tanz und einem Umzug.
die	**Ernte**, die Ernten	harvest	Man freut sich über die Ernte.
der	***Almabtrieb***	cattle-drive down from the alpine meadows	In den Alpen feiert man den Almabtrieb.
die	***Bergwiese**, die Bergwiesen*	alpine meadow	Die Kühe kommen von den Bergwiesen zurück in den Stall.
der	***Heilige Abend***	Christmas Eve	Am Heiligen Abend bringen der Weihnachtsmann oder das Christkind die Geschenke.
der	***Weihnachtsmann**, die Weihnachtsmänner*	Father Christmas	Am Heiligen Abend bringen der Weihnachtsmann oder das Christkind die Geschenke.
das	***Christkind**, die Christkinder*	Christ Child	Am Heiligen Abend bringen der Weihnachtsmann oder das Christkind die Geschenke.

	das	***Feuerwerk**, die Feuerwerke*	fireworks	Das Jahresende feiert man mit einem großen Feuerwerk.
		***anstoßen**, sie (Pl.) stoßen an, sie haben angestoßen*	(to) toast	Um 24 Uhr stößt man mit Sekt an.
	der	***Sekt**, die Sekte*	sparkling wine	Um 24 Uhr stößt man mit Sekt an.
	das	***Neujahr***	New Year	Man stößt mit Sekt an und sagt: „Prosit Neujahr!"
	das	***Silvester***	New Year's Eve	Silvester feiert man mit Partys und einem Feuerwerk.
		Prosit Neujahr!	Here's to the New Year!	Man stößt mit Sekt an und sagt: „Prosit Neujahr!"
2.3	*das*	***Karnevalskostüm**, die Karnevalskostüme*	Carnival costume	An Karneval trägt man ein Karnevalskostüm.
		feste	hard	Lieber Feste feiern als feste arbeiten.
2.4a		**neongrün**	neon-green	Ella hat eine neongrüne Luftmatratze bekommen.
	die	***Luftmatratze**, die Luftmatratzen*	air-mattress	Ella hat eine neongrüne Luftmatratze bekommen.
2.4c		**wahr**	true	Formulieren Sie wahre und falsche Aussagen.

		etwas Witziges	something funny	Es ist immer etwas Witziges dabei.
		weich	soft	Das gelbe T-Shirt ist aus einem weichen Stoff.
	der	**Stoff**, die Stoffe	fabric	Das gelbe T-Shirt ist aus einem weichen Stoff.
2.4d	*der*	***Merksatz**, die Merksätze*	mnemonic	Ergänzen Sie den Merksatz.
2.5	*die*	***Fortsetzung**, die Fortsetzungen*	continuation	Schreiben Sie eine Fortsetzung zu dem Dialog.

3 Was soll ich ihm schenken?

3.1a	die	**Socke**, die Socken	sock	Ich freue mich nicht über Socken.
	der	***Badeschaum***	bubble bath	Ich finde, Badeschaum ist ein gutes Geschenk.
	der	***Mülleimer**, die Mülleimer*	trashcan	Ein Mülleimer ist kein Geschenk.
	der	**Müll**	trash	Man wirft den Müll in den Mülleimer.
	der	**Schmuck**	jewellery	Über Schmuck freue ich mich.
	der	**Kuss**, die Küsse	kiss	Ein Kuss ist kein Geschenk.
	die	***Krawatte**, die Krawatten*	tie	Ich schenke oft Krawatten.

	der	**Gummibaum**, die Gummibäume	rubber tree	Ich freue mich nicht über einen Gummibaum.
3.2a		***daran***	about that	Jeden Tag und jede Nacht muss ich daran denken.
		***kränken**, er kränkt, er hat gekränkt*	(to) hurt sbd.'s feelings	Was soll ich da schenken – ohne sie zu kränken.
	das	**Tuch**, die Tücher	scarf	Ein rotes Tuch? – Hat sie schon!
	das	***Sparbuch**, die Sparbücher*	savings account	Soll ich ein Sparbuch schenken?
	der	***Knutschfleck**, die Knutschflecken*	hickey	Einen Knutschfleck will sie nicht.
	der	***Bumerang**, die Bumerangs*	boomerang	Soll ich einen Bumerang schenken?
	die	***Matratze**, die Matratzen*	mattress	Sogar eine Matratze hat sie!
3.2b	*der*	***Geschenkvorschlag**, die Geschenkvorschläge*	gift suggestion	Machen Sie einen guten Geschenkvorschlag.
3.3	*die*	***Übertreibung**, die Übertreibungen*	exaggeration	Üben Sie die Konsonanten durch Übertreibung.
		scharf	sharp	Üben Sie die Konsonanten durch scharfes Flüstern.
		flüstern, er flüstert, er hat geflüstert	whisper	Üben Sie die Konsonanten durch scharfes Flüstern.

3.4	die	**Unterschrift**, die Unterschriften	signature	Auf der Autogrammjagd sammeln wir Unterschriften.
	das	**Parfüm**, die Parfüms	perfume	Kann man einem Mann Parfüm schenken?
3.5	der	**Ring**, die Ringe	ring	Er schenkt ihr einen Ring.
	das	**Taschenmesser**, die Taschenmesser	pocketknife	Er schenkt ihr ein Taschenmesser.
3.6a		***ignorieren**, er ignoriert, er hat ignoriert*	(to) ignore	Er ignoriert sie.
	der	***Lottoschein**, die Lottoscheine*	lottery ticket	Sie gewinnt im Lotto und zeigt ihm ihren Lottoschein.
		***leihen**, er leiht, er hat geliehen*	(to) lend	Er leiht ihr sein Buch.
3.7	*die*	***Sätze-Rallye***	sentence rally	Machen Sie im Kurs eine Sätze-Rallye.

4 Keine Katastrophen, bitte

4.1a		**trocken**	dry	Der Baum darf nicht zu alt und trocken sein.
	die	***Gardine**, die Gardinen*	curtain	In der Nähe vom Weihnachtsbaum darf keine Gardine sein.

	die	**Sicherheit**	safety	Sicherheit ist wichtiger als Romantik.
	die	***Romantik***	romance	Sicherheit ist wichtiger als Romantik.
		brennen, es brennt, es hat gebrannt	(to) burn	Was passiert, wenn der Baum brennt?
		dagegen	against that	Was kann man dagegen tun?
	der	***Eimer**, die Eimer*	bucket	Man stellt einen Eimer Wasser neben den Baum.
	das	**Feuer**, die Feuer	fire	Dann kann man ein Feuer schnell löschen.
		***lassen (allein lassen)**, er lässt allein, er hat allein gelassen*	(to) leave alone	Man soll den Baum nie allein lassen.
4.3		**krank**	ill	Wenn ich krank bin, bleibe ich im Bett.

5 Ostern – ein internationales Fest

5.1	*der*	***Osterbrauch**, die Osterbräuche*	Easter custom	Aus welchem Land kommen diese Osterbräuche?
5.1a	der	**Ausflug**, die Ausflüge	outing	Viele Leute machen am Montag einen Ausflug.
	das	**Picknick**, die Picknicke	picnic	Beim Picknick essen wir die Ostertorte.

	sạlzig	salty	Die Ostertorte ist ein salziger Kuchen mit Spinat und gekochten Eiern.
der	***Spinat***	spinach	Die Ostertorte ist ein salziger Kuchen mit Spinat und gekochten Eiern.
	***fạrben**, er färbt, er hat gefärbt*	(to) dye	Am Ostersonntag färben und bemalen wir die Ostereier.
	***bemalen**, er bemalt, er hat bemalt*	(to) paint	Am Ostersonntag färben und bemalen wir die Ostereier.
die	**Mẹsse**, die Messen	Mass	Am Freitag feiern wir eine Messe.
das	***Lạmm**, die Lämmer*	lamb	Am Sonntag haben wir eine Familienfeier und wir essen Lamm.
	***zusạmmenschlagen**, er schlägt zusammen, er hat zusammengeschlagen*	(to) tap together	Auf dem Marktplatz schlagen alle ihre bunten Eier zusammen.
	kapụttgehen, es geht kaputt, es ist kaputt gegangen	(to) break	Das Ei, das nicht kaputt geht, gewinnt.
die	***Heilige Wọche***	Holy Week	Bei uns gibt es in der Heiligen Woche Prozessionen.
die	***Prozession**, die Prozessionen*	procession	Bei uns gibt es in der Heiligen Woche Prozessionen.

	prächtig	magnificent	Bei den Prozessionen tragen wir prächtig geschmückte Figuren.
	***schmücken**, er schmückt, er hat geschmückt*	(to) decorate	Wir schmücken die Figuren.
die	**Figur**, die Figuren	figure	Bei den Prozessionen tragen wir prächtig geschmückte Figuren.
das	***Bein (auf den Beinen sein)**, er ist auf den Beinen, er war auf den Beinen*	(to) be up and about	Die ganze Stadt ist auf den Beinen.

Ü Übungen

Ü2a	*der*	***Japaner**, die Japaner*	Japanese (m)	Sogar Japaner feiern das Oktoberfest.
	die	***Japanerin**, die Japanerinnen*	Japanese (f)	Sogar Japanerinnen feiern das Oktoberfest.
Ü2c		***fehlende***	missing	Suchen Sie das fehlende Wort im Artikel.
Ü3b	*die*	***Foto-Nummer**, die Foto-Nummern*	photo number	Ergänzen Sie die Foto-Nummer.
Ü5a	*die*	***Live-Musik***	live music	Auf dem Sommerfest gibt es Live-Musik.

Ü7a		***hübsch***	pretty	Jana findet Julian nicht hübsch.
	das	***Sommersemester**, die Sommersemester*	summer semester	Julian studiert seit dem Sommersemester.
	das	***Seminar**, die Seminare*	seminar	Silva will nach dem Seminar losfahren.
		losfahren, er fährt los, er ist losgefahren	(to) set off	Silva will nach dem Seminar losfahren.
	das	***Wintersemester**, die Wintersemester*	winter semester	Er studiert seit dem Wintersemester Medizin.
	die	***Fahrradtour**, die Fahrradtouren*	cycling tour	Willst du mit mir eine Fahrradtour machen?
		preiswert	reasonable	Es ist preiswerter und die Uni ist in der Nähe.
		gratulieren, er gratuliert, er hat gratuliert	(to) congratulate	Hast du schon Sebastian zum Geburtstag gratuliert?
		herrje	Oh, dear	Herrje, ich habe ihm noch nicht gratuliert.
Ü8a	*der*	***Zeitungsausschnitt**, die Zeitungsausschnitte*	news clipping	Lesen Sie die Zeitungsausschnitte.
	der	***Rätselfreund**, die Rätselfreunde*	puzzle fan (m)	Jede Woche wieder: Rätselspaß für Rätselfreunde.

	die ***Rätselfreundin**, die Rätselfreundinnen*	puzzle fan (m)	Jede Woche wieder: Rätselspaß für Rätselfreundinnen.
	der ***Rätselspaß***	puzzle fun	Jede Woche wieder: Rätselspaß für Rätselfreunde.
	***zurückwandern**, er wandert zurück, er ist zurückgewandert*	(to) remigrate	Von dort ist es wieder nach Europa zurückgewandert.
	schlimm	bad	Schlechte Geschenke sind genauso schlimm wie keine Geschenke.
Ü10a	das ***Werbegeschenk**, die Werbegeschenke*	promotional gift	Werbegeschenke darf man verschenken.
	***reduzieren**, er reduziert, er hat reduziert*	(to) reduce	Reduzierte Ware (Sonderangebote) verschenkt man nicht.
	das **Sonderangebot**, die Sonderangebote	sale offer	Reduzierte Ware (Sonderangebote) verschenkt man nicht.
Ü10b	das ***Online-Geschenke-Portal**, Online-Geschenke-Portale*	online gift portal	Kunden diskutieren in einem großen Online-Geschenke-Portal.
	die **Geschenk-Erfahrung**, die Geschenk-Erfahrungen	gifting experience	Sie diskutieren ihre schlimmsten Geschenk-Erfahrungen.

	das	***Putzmittel**, die Putzmittel*	cleaning product	Schenken Sie niemals Putzmittel oder Werbegeschenke.
	die	**Glühbirne**, die Glühbirnen	light-bulb	Schenken Sie niemals Glühbirnen.
	das	***Diät-Buch**, die Diät-Bücher*	dieting book	Schenken Sie niemals Diät-Bücher.
	der	***Geldgutschein**, die Geldgutscheine*	money order	Schenken Sie niemals Geldgutscheine vom gemeinsamen Konto.
	das	**Konto**, die Konten	account	Schenken Sie niemals Geldgutscheine vom gemeinsamen Konto.
	der	***Medizin-Kalender**, die Medizin-Kalender*	medical calendar	Medizin-Kalender sind kein gutes Geschenk.
	das	***Gratis-Parfum**, die Gratis-Parfums*	complimentary perfume	Ein Gratis-Parfüm verschenkt man nicht.
	der	***Frust***	frustration	Schenken Sie Freude und keinen Frust!
Ü11a	das	**Paket**, die Pakete	package	Der Sohn schickt seiner Mutter ein Paket.
		ersetzen, er ersetzt, er hat ersetzt	(to) replace	die Dativ-Ergänzungen mit einem Pronomen ersetzen

Ü12a	die	**Weihnachtskarte**, die Weihnachtskarten	Christmas card	Ich schicke meiner Oma jedes Jahr eine Weihnachtskarte.
Ü13a	*der*	***Fakt***, *die Fakten*	fact	Die Feuerwehr informiert mit Zahlen und Fakten.
		vorsichtig	careful	Es muss nicht bei Ihnen brennen, wenn Sie vorsichtig sind!
		ausschalten, er schaltet aus, er hat ausgeschaltet	(to) turn off	Elektrische Geräte immer ausschalten und nicht im Stand-by-Modus haben.
	der	***Stand-by-Modus***	stand-by mode	Elektrische Geräte immer ausschalten und nicht im Stand-by-Modus haben.
		werfen, er wirft, er hat geworfen	(to) throw	Keine Zigaretten in den Mülleimer werfen.
Ü13b		**anmachen**, er macht an, er hat angemacht	(to) light	Wenn man eine Kerze anmacht, muss man immer im Raum sein.
Ü14	die	**Folge**, die Folgen	implication	Ordnen Sie die Bedingungen und Folgen zu.
Ü15		**traditionell**	traditional	In Spanien isst man die traditionelle Ostertorte.
	das	***Eierschlagen***	egg tapping	In der Schweiz findet das traditionelle Eierschlagen statt.
Ü16a	*der*	***Heiligabend***	Christmas Eve	Die Deutschen gehen Heiligabend in die Kirche.

	komisch	funny	Es ist für mich auch etwas komisch!
die	***Gasteltern*** *(Pl.)*	host parents	Ich weiß nicht, was ich meinen Gasteltern schenken kann.

11 Mit allen Sinnen

der	**Sinn**, die Sinne	sense	Die Menschen haben verschiedene Sinne.
	weinen, er weint, er hat geweint	(to) cry	Er weint, weil er traurig ist.
	eklig	disgusting	Sie findet Spinnen eklig.
	wundern (sich über), er wundert sich, er hat sich gewundert	(to) wonder about	Ich wundere mich über manche Menschen.
	erschrecken (sich), er erschreckt sich, er hat sich erschrocken	(to) get scared	Ich habe mich heute sehr erschreckt.

	verliebt	in love	Peter ist in Marie verliebt.
der	**Ärger**	anger	Können alle Menschen Ärger zeigen?
das	***Forschungsprojekt**, die Forschungsprojekte*	research project	Seit 2007 sucht ein Berliner Forschungsprojekt Antworten.
die	**Sympathie**, die Sympathien	sympathy	Sie können mit ihrem Körper Sympathie oder Antipathie ausdrücken.
die	***Antipathie**, die Antipathien*	antipathy	Sie können mit ihrem Körper Sympathie oder Antipathie ausdrücken.
die	***Aggression**, die Aggressionen*	aggression	Sie können mit ihrem Körper Aggression oder Freundlichkeit ausdrücken.
die	**Freundlichkeit**	friendliness	Sie können mit ihrem Körper Aggression oder Freundlichkeit ausdrücken.
das	**Gesicht**, die Gesichter	face	Die Sprache des Gesichts ist die Sprache der Emotionen.
	nervös	nervous	Besonders Gesichter zeigen, wenn jemand nervös, ärgerlich oder entspannt ist.
	ärgerlich	angry	Besonders Gesichter zeigen, wenn jemand nervös, ärgerlich oder entspannt ist.

	entspannt	relaxed	Besonders Gesichter zeigen, wenn jemand nervös, ärgerlich oder entspannt ist.
die	***Trauer***	sadness	Mit dem Gesicht kann man Trauer und Wut oft besser ausdrücken.
die	***Wut***	anger	Mit dem Gesicht kann man Trauer und Wut oft besser ausdrücken.
der	***Ekel***	disgust	Ekel kann man normalerweise gut mit dem Gesicht ausdrücken.
	normalerweise	normally	Ekel kann man normalerweise gut mit dem Gesicht ausdrücken.
	gefühlsblind	emotionally blind	10 % der Deutschen sind gefühlsblind.
	erkennen, er erkennt, er hat erkannt	(to) recognize	Die können die eigenen Gefühle nicht so gut erkennen.
der	***LoE-Forscher****, die LoE-Forscher*	LOE researcher (m)	LoE-Forscher untersuchten Gefühlsblinde und Normale.
die	***LoE-Forscherin****, die LoE-Forscherinnen*	LOE researcher (f)	LoE-Forscherinnen untersuchten Gefühlsblinde und Normale.

der/ die	***Gefühlsblinde**, die Gefühlsblinden*	emotionally blind person	Gefühlsblinde reden weniger und sind schneller im Stress.
die	***Geste**, die Gesten*	gesture	Sie machen weniger Gesten.
	teilen, er teilt, er hat geteilt	(to) share	Es gibt Emotionen, die alle Menschen auf der Welt teilen.
die	***Verachtung***	contempt	Verachtung und Traurigkeit kennen alle Menschen auf der Welt.
die	***Traurigkeit***	sadness	Verachtung und Traurigkeit kennen alle Menschen auf der Welt.
die	**Überraschung**, die Überraschungen	surprise	Überraschung kennen alle Menschen auf der Welt.
der	**Unterschied**, die Unterschiede	difference	Es gibt kulturelle Unterschiede.
der	***Gesichtsausdruck**, die Gesichtsausdrücke*	facial expression	Gesichtsausdrücke aus der eigenen Kultur versteht man am besten.
die	**Kommunikation**	communication	Kommunikation heißt auch mit dem Gesicht und dem Körper sprechen.
der	***Kommentar**, die Kommentare*	comment	Sie haben eine Frage oder einen Kommentar?

1 Gesichter lesen – Emotionen erkennen

1.1a	*das*	***Emoticon**, die Emoticons*	emoticon	Mit Emoticons kann man Emotionen ausdrücken.
1.1b		***bestimmen**, er bestimmt, er hat bestimmt*	(to) determine	Die Kultur bestimmt, wie man Emotionen zeigt.
1.2		**positiv**	positive	Freude ist eine positive Emotion.
		negativ	negative	Wut ist eine negative Emotion.
1.3a		***igitt***	ick!	Igitt, ist das eklig! Iiieh!
		iiieh	yuck!	Igitt, ist das eklig! Iiieh!
		stinksauer	pissed off	Ich bin stinksauer!
	der	**Mist**	manure	So ein Mist!
	der	**Wahnsinn**	madness	Wahnsinn! Das ist toll.
		sauer	angry	Sei nicht sauer.
		wow	wow	Wow! Das ist ja super.
1.4		**wovor**	of what	Wovor hattest du als Kind Angst?

2 Ein deutscher Liebesfilm

	der	**Liebesfilm**, die Liebesfilme	romance movie	„Erbsen auf halb 6" ist ein deutscher Liebesfilm.
2.1	*die*	***Erbse**, die Erbsen*	pea	„Erbsen auf halb 6" ist ein deutscher Liebesfilm.
2.1a		**erwarten**, er erwartet, er hat erwartet	(to) expect	Was erwarten Sie von dem Film?
	die	***Action***	action	Ich erwarte einen Film mit Action.
	der	**Krimi**, die Krimis	crime thriller	Ich erwarte einen Krimi.
	die	***Dokumentation**, die Dokumentationen*	documentary	Ich glaube, der Film ist eine Dokumentation.
	die	***Komödie**, die Komödien*	comedy	Ich erwarte eine Komödie.
2.1b	*die*	***TV-Zeitschrift**, die TV-Zeitschriften*	TV guide	Lesen Sie den Artikel in der TV-Zeitschrift.
		emotional	emotional	„Erbsen auf halb 6" ist ein emotional mitreißender Film.
		mitreißend	thrilling	„Erbsen auf halb 6" ist ein emotional mitreißender Film.
	die	**Tragikomödie**, die Tragikomödien	tragicomedy	Die Tragikomödie widmet sich auf humorvolle Weise dem Thema Blindheit.

	humorvoll	humorous	Die Tragikomödie widmet sich auf humorvolle Weise dem Thema Blindheit.
die	***Weise**, die Weisen*	way	Auf sympathische Weise behandelt der Film das Thema Blindheit.
die	***Blindheit***	blindness	Auf sympathische Weise behandelt der Film das Thema Blindheit.
	***widmen**, er widmet, er hat gewidmet*	(to) address	Der Film widmet sich humorvoll dem Thema Blindheit.
	erfolgreich	successful	Jakob ist ein erfolgreicher Theaterregisseur.
der	***Autounfall**, die Autounfälle*	car accident	Am Anfang des Films hat er einen Autounfall.
	schuld (sein), er ist schuld, er war schuld	(to) be at fault	An dem Autounfall ist er schuld.
	blind	blind	Er wird blind.
	verzweifelt	in despair	Jakob ist wütend und verzweifelt.
der	***Regisseur**, die Regisseure*	director (m)	Er muss seinen Beruf als Regisseur an den Nagel hängen.
die	***Regisseurin**, die Regisseurinnen*	director (f)	Sie muss ihren Beruf als Regisseurin an den Nagel hängen.

der	***Nagel (etw. an den Nagel hängen)**, er hängt etw. an den Nagel, er hat etw. an den Nagel gehängt*	(to) give sth. up	Er muss seinen Beruf als Regisseur an den Nagel hängen.
	trennen (sich von), sie trennt sich, sie hat sich getrennt	(to) break up (with)	Er trennt sich von seiner Freundin.
	weiterleben, er lebt weiter, er hat weitergelebt	(to) keep living	Er hat Angst und will nicht mehr weiterleben.
	todkrank	terminally ill	Aber er möchte noch seine todkranke Mutter in Russland besuchen.
	zurechtfinden (sich), er findet sich zurecht, er hat sich zurechtgefunden	(to) cope	Lilly findet sich in ihrer Welt gut zurecht.
	gemeinsam	together	Gemeinsam machen sie sich auf den langen Weg nach Osten.
der	**Weg (sich auf den Weg machen)**, er macht sich auf den Weg, er hat sich auf den Weg gemacht	(to) start off (on the way)	Gemeinsam machen sie sich auf den langen Weg nach Osten.
die	***Handlung**, die Handlungen*	action	Ort der Handlung ist Osteuropa.

der/ die	***Blinde**, die Blinden*	blind person	Die beiden Blinden kommen manchmal in gefährliche Situationen.
	gefährlich	dangerous	Die beiden Blinden kommen manchmal in gefährliche Situationen.
	trotzdem	nevertheless	Trotzdem gibt es auch viel Komik und Humor.
die	***Komik***	comic	Trotzdem gibt es auch viel Komik und Humor.
der	**Humor**	humour	Trotzdem gibt es auch viel Komik und Humor.
	verändern, er verändert, er hat verändert	(to) change	Am Ende des Films sind beide verändert.
das	**Schicksal**, die Schicksale	fate	Jakob lernt, dass man sein Schicksal akzeptieren muss.
	akzeptieren, er akzeptiert, er hat akzeptiert	(to) accept	Jakob lernt, dass man sein Schicksal akzeptieren muss.
	***zueinanderfinden**, sie finden zueinander, sie haben zueinander gefunden*	(to) find common ground	Langsam finden die beiden Menschen zueinander.
die	**Orientierung**	orientation	Lilly hilft Jakob bei der Orientierung im Dunkeln.

	der	**Teller**, die Teller	plate	Es ist wichtig zu wissen, wo etwas auf dem Teller liegt.
	der	***Trick**, die Tricks*	trick	Lilly erklärt den Trick mit der Uhr.
		***näher kommen (sich)**, sie kommen sich näher, sie sind sich näher gekommen*	(to) get closer	Auf der Reise kommen sich Lilly und Jakob ganz langsam näher.
	die	**Dreharbeiten** *(Pl.)*	filming	Fritzi Haberland und Harald Schrott bei den Dreharbeiten.
	die	**Regie**	direction	Regie führte Lars Büchel.
2.2	*die*	***Textgrafik**, die Textgrafiken*	text graphics	Arbeiten Sie mit eine Textgrafik.
2.2a		**gegenseitig**	each other	Die Schüler helfen sich gegenseitig.
2.2b		***handeln (von)**, es handelt von, es hat von gehandelt*	(to) be about	Der Film handelt von Jakob.
2.3a	*der*	***Forscher**, die Forscher*	researcher (m)	Der Forscher untersucht die Emotionen.
	die	***Forscherin**, die Forscherinnen*	researcher (f)	Die Forscherin untersucht die Emotionen.
		***entfallen**, es entfällt, es ist entfallen*	(to) be dropped	Im Plural entfällt der unbestimmte Artikel.
2.3b	*der*	***Filmtitel**, die Filmtitel*	film title	Ergänzen Sie die Filmtitel.

	der	***Ritter**, die Ritter*	knight	Monty Pythons Ritter der Kokosnuss habe ich schon oft gesehen.
	die	***Kokosnuss**, die Kokosnüsse*	coconut	Monty Pythons Ritter der Kokosnuss habe ich schon oft gesehen.
	der	***Jäger**, die Jäger*	hunter (m)	Indiana Jones - Jäger des verlorenen Schatzes ist ein toller Film.
	die	***Jägerin**, die Jägerinnen*	hunter (f)	Die Jägerin des verlorenen Schatzes.
	der	***Untergang**, die Untergänge*	decline	Der Untergang des Hauses Usher kenne ich gar nicht.
2.4a	*die*	***Filmszene**, die Filmszenen*	film scene	die Filmszene hören
	die	**Kartoffel**, die Kartoffeln	potato	Die Kartoffeln liegen auf zwei Uhr, richtig?
2.5a		***mitspielen**, er spielt mit, er hat mitgespielt*	(to) be in	Hilmir spielte auch in Musicals mit.
	der	***Filmpreis**, die Filmpreise*	film award	Fritzi bekam den deutschen Filmpreis.
	der	***Shooting-Star**, die Shooting-Stars*	shooting star	Er bekam den Berlinale Preis „Shooting-Star".
		geb. (= geboren)	nee	Er wurde in Island geboren.

der ***Filmschauspieler**, die Filmschauspieler*	movie actor	Hilmir ist einer der bekanntesten Filmschauspieler Islands.
die ***Filmschauspielerin**, die Filmschauspielerinnen*	movie actress	Fritzi ist eine der bekanntesten Filmschauspielerinnen Deutschlands.
die **Bühne**, die Bühnen	stage	Er hat klassisches Theater auf vielen Bühnen gespielt.
der **Schauspieler**, die Schauspieler	actor	Er hat den Preis als bester Schauspieler bekommen.
die **Schauspielerin**, die Schauspielerinnen	actress	Sie hat den Preis als beste Schauspielerin bekommen.
die ***Leistung**, die Leistungen*	performance	Er hat den Preis für seine Leistung als „Hamlet" bekommen.
steil	steep	Die Karriere des sympathischen Schauspielers war steil.
das ***Filmfestival**, die Filmfestivals*	film festival	Auf dem Filmfestival „Berlinale" bekam er den Preis als „Shooting-Star".
die ***Verfilmung**, die Verfilmungen*	film adaption	Er spielte in der deutschen Verfilmung des Romans „Blueprint".
die **Rolle**, die Rollen	role	Diese Rolle machte ihn international bekannt.

	vielseitig	multi-faceted	Gudnason ist wirklich sehr vielseitig.
die	***Theaterbühne***, *die Theaterbühnen*	theatre stage	Sie begann ihre Karriere auf den Berliner Theaterbühnen.
	ab und zu	from time to time	Dort ist sie noch immer ab und zu.
	bayrisch	Bavarian	Sie bekam im Jahr 2000 den bayrischen Filmpreis.
die	***Nebenrolle***, *die Nebenrollen*	supporting role	2004 bekam sie den Deutschen Filmpreis für die beste Nebenrolle.
	nominieren, *er nominiert, er hat nominiert*	(to) nominate	2012 war sie wieder für den Deutschen Filmpreis nominiert.
das	***Szene-Magazin***, *die Szene-Magazine*	scene magazine	Das Szene-Magazin „Neon" wählte sie in die Liste der 100 wichtigsten jungen Deutschen.
	vorbereiten (sich), er bereitet sich vor, er hat sich vorbereitet	(to) prepare	Auf den Film bereitete sie sich mit einem Blindentrainer vor.
der	***Blindentrainer***, *die Blindentrainer*	trainer for the blind (m)	Auf den Film bereitete sie sich mit einem Blindentrainer vor.
die	***Blindentrainerin***, *die Blindentrainerinnen*	trainer for the blind (f)	Auf den Film bereitete sie sich mit einer Blindentrainerin vor.

2.5c	*der* ***Lieblingsschauspieler****, die Lieblingsschauspieler*	favourite actor	Mein Lieblingsschauspieler ist sehr berühmt.
2.6	*die* ***Lieblingsschauspielerin****, die Lieblingsschauspielerinnen*	favourite actress	Meine Lieblingsschauspielerin sieht super aus.
	verwenden, er verwendet, er hat verwendet	(to) use	Schreiben Sie Sätze und verwenden Sie die Indefinita.
	schauspielern*, er schauspielert, er hat geschauspielert*	(to) act	Wenige können gut schauspielern.
	führen (Regie führen)*, er führt Regie, er hat Regie geführt*	(to) direct	Manche führen in einem Film Regie.
2.7	***dehnen****, er dehnt, er hat gedehnt*	(to) stretch	Dehnen Sie die Laute beim Sprechen.
	runden*, er rundet, er hat gerundet*	(to) round	Jetzt den Mund runden.
2.8b	**legen**, er legt, er hat gelegt	(to) place	Ich lege die DVD auf den Tisch.
	achten (auf), er achtet auf, er hat geachtet auf	(to) pay attention (to)	Achten Sie auf die Verben.

2.9a	*der*	**Kameramann**, *die Kameramänner*	cameraman	Der Kameramann steht hinter der Kamera.
2.9b	*der*	**Bühnenbildner**, *die Bühnenbildner*	set designer (m)	Der Bühnenbildner hat viel zu tun.
	die	**Bühnenbildnerin**, *die Bühnenbildnerinnen*	set designer (f)	Die Bühnenbildnerin hat viel zu tun.
2.10	*der*	**Actionfilm**, *die Actionfilme*	action movie	Das ist ein Actionfilm mit Arnold Schwarzenegger.
	der	**Thriller**, *die Thriller*	thriller	Das ist ein Thriller, der in Russland spielt.

3 Mitten im Leben

		mitten	in the middle	Die Redakteurin besuchte zwei Frauen, die mitten im Leben stehen.
3.1a	*die*	**Behinderung**, *die Behinderungen*	disability	Sie hat eine Behinderung.
	der	**Arbeitsalltag**	work-a-day life	Im Arbeitsalltag hat sie viel zu tun.

das	**Leben (mitten im Leben stehen)**, er steht im Leben, er stand im Leben	(to) be in the middle of life	Annette Stramel steht mitten im Leben.
	setzen, er setzt, er hat gesetzt	(to) place	Nach dem Studium setzte sie Anzeigen in die Zeitung.
der	***Privatunterricht***	private classes	Deutschlehrerin gibt Privatunterricht.
der	**Anrufer**, die Anrufer	caller (m)	Manche Anrufer beendeten das Gespräch dann sofort.
die	**Anruferin**, die Anruferinnen	caller (f)	Manche Anruferinnen beendeten das Gespräch dann sofort.
	anders	differently	Die Schüler lernten Deutsch anders - sehr aktiv.
	aktiv	actively	Die Schüler lernten Deutsch anders - sehr aktiv.
	vorlesen, er liest vor, er hat vorgelesen	(to) read aloud	Sie haben mehr gesprochen, vorgelesen und mit Hörtexten gearbeitet.
	stellen (Fragen stellen), er stellt Fragen, er hat Fragen gestellt	(to) ask questions	Ich habe korrigiert und den Schülern Fragen gestellt.
	sehend	sighted	Frau Stramel hat sehende und blinde Schüler.

der	**Lẹrner**, die Lerner	learner (m)	Frau Stramel hat sehende und blinde Lerner.
die	**Lẹrnerin**, die Lernerinnen	learner (f)	Frau Stramel hat sehende und blinde Lernerinnen.
die	***Blịndenschrift***	braille	Das Lehrwerk kann Frau Stramel in Blindenschrift lesen.
die	**Schrịft**, die Schriften	script	Diese Schrift ist 200 Jahre alt.
	mathematisch	mathematical	Man kann mit der Schrift auch mathematische Aufgaben schreiben.
die	**Note**, die Noten	note	Man kann mit der Schrift auch Noten für Musikstücke schreiben.
das	***Musikstück**, die Musikstücke*	piece of music	Man kann mit der Schrift auch Noten für Musikstücke schreiben.
	***ạnfassen**, er fasst an, er hat angefasst*	(to) touch	Das Lernen der Wörter funktioniert am besten mit Dingen, die man anfassen kann.
die	**Erfahrung**, die Erfahrungen	experience	Ihre Lerner machen täglich neue Erfahrungen.
das	***Lehrwerk**, die Lehrwerke*	coursebook	Das Lehrwerk kann Frau Stramel in Blindenschrift lesen.
der	**Zweifel**, die Zweifel	doubt	Ohne Zweifel – Annette Stramel steht mitten im Leben.

der	***Bauchtanz**, die Bauchtänze*	belly dance	Sie liebt Bauchtanz.
	gehörlos	deaf	Judith ist gehörlos.
der	***Bauchtanzkurs**, die Bauchtanzkurse*	belly dance course	Mit 19 Jahren startete sie mit Bauchtanzkursen an der Volkshochschule.
der	***Workshop**, die Workshops*	workshop	Dann reiste sie zu Workshops in ganz Europa.
	beobachten, er beobachtet, er hat beobachtet	(to) observe	Sie beobachtet die anderen, mit denen sie tanzt.
der	***Beobachter**, die Beobachter*	observer (m)	Er war schon als Kind eine guter Beobachter.
die	***Beobachterin**, die Beobachterinnen*	observer (f)	Judith war schon als Kind eine gute Beobachterin.
das	***Diktat**, die Diktate*	dictation	Sie musste Diktate schreiben und dabei von den Lippen ablesen.
die	**Lippe**, die Lippen	lip	Sie musste dabei von den Lippen der Mutter ablesen.
	***ablesen**, er liest ab, er hat abgelesen*	(to) read from	Sie musste dabei von den Lippen der Mutter ablesen.
das	***Lippenlesen***	lipreading	Sie konnte mit der Zeit sehr gut Lippenlesen.

der	***Lippendolmetscher**, die Lippendolmetscher*	lipreading interpreter (m)	Heute leitet sie ihre Lippendolmetscher-Agentur.
die	***Lippendolmetscherin**, die Lippendolmetscherinnen*	lipreading interpreter (f)	Sie arbeitet heute als Lippendolmetscherin.
die	***Gebärdensprache**, die Gebärdensprachen*	sign language	Judith kann die Gebärdensprache.
die	**Sendung**, die Sendungen	broadcast	Sie möchte, dass mehr Sendungen im Fernsehen Untertitel haben.
der	***Untertitel**, die Untertitel*	subtitle	Sie möchte, dass mehr Sendungen im Fernsehen Untertitel haben.
	knapp	just	Nur knapp 24 Prozent der TV-Sendungen haben Untertitel.
die	***TV-Sendung**, die TV-Sendungen*	TV broadcast	Nur knapp 24 Prozent der TV-Sendungen haben Untertitel.
der/die	***Gehörlose**, die Gehörlosen*	deaf person	Gehörlose kommen oft sehr viel schwerer an Informationen.
die	**Nachrichten** (Pl.)	news	Sie kommen schwerer an Informationen, weil sie Nachrichten nicht hören können.

3.1d	die	**Gemeinsamkeit**, die Gemeinsamkeiten	common ground	Finden Sie Gemeinsamkeiten und Unterschiede zwischen den Frauen.
3.2a		**aufgeben**, er gibt auf, er hat aufgegeben	(to) place	Ich habe in verschiedenen Zeitungen Anzeigen aufgegeben.
		sehbehindert	seeing-impaired	Einige von ihnen sind sehbehindert, andere sind blind.
	die	**Flöte**, die Flöten	flute	Ich spiele Flöte.
3.2b	*das*	***Arbeitsmittel***, *die Arbeitsmittel*	teaching aid	Frau Stramel nutzt verschiedene Arbeitsmittel in ihren Kursen.
3.3a	*die*	***Brailleschrift***	braille	Das Lehrwerk ist in Brailleschrift übertragen.
		übertragen, *er überträgt, er hat übertragen*	(to) transcribe	Das Lehrwerk ist in Brailleschrift übertragen.
		bequem	comfortable	Die Räume sind bequem und haben Internetanschluss.
	der	***Internetanschluss***, *die Internetanschlüsse*	internet connection	Die Räume sind bequem und haben Internetanschluss.
3.4	*das*	***Ideal***, *die Ideale*	ideal	Beschreiben Sie Wünsche und Ideale.
3.5a	der	**Ausdruck**, die Ausdrücke	expression	Was bedeutet dieser Ausdruck?

		deshalb	therefore	Man arbeitet zu viel und ist deshalb im Stress.
		zurechtkommen, er kommt zurecht, er ist zurechtgekommen	(to) cope	Eine Person kommt gut im Leben zurecht.

Ü Übungen

Ü1a	*der*	***Schreck**, die Schrecken*	scare	Sie hat einen Schreck bekommen.
Ü2b		***wissenschaftlich***	scientific	Die Forscher arbeiten an einer wissenschaftliche Studie.
Ü3b		***unruhig***	restless	Vor dem Test war er sehr unruhig.
		angespannt	tense	Vor dem Test war er sehr angespannt.
Ü3c		***erlernen**, er erlernt, er hat erlernt*	(to) learn	Man kann Emotionen erlernen.
Ü5b		***aufhängen**, er hängt auf, er hat aufgehängt*	(to) hang up	Er hat ein Bild aufgehängt.
Ü6a	*die*	***Hauptrolle**, die Hauptrollen*	lead role	Sie spielt die Hauptrolle in dem Film.
	das	***Drehbuch**, die Drehbücher*	screenplay	Das Drehbuch hat Susanne Beck geschrieben.

	die	**Kritik**, die Kritiken	critic	Der Journalist schreibt eine Kritik über einen Film.
	der	***Fernsehfilm**, die Fernsehfilme*	TV movie	„Margarethe Steiff" ist der Fernsehfilm der Woche.
		exklusiv	exclusively	Der Film ist heute schon online – exklusiv für Mitglieder.
	der/ die	***10-Jährige**, die 10-Jährigen*	10-year-old	Anna Luksch spielt Margarethe Steiff als 10-Jährige.
	der	***Rollstuhl**, die Rollstühle*	wheelchair	Margarete sitzt weiter im Rollstuhl.
		mutig	courageous	Die Kinder lieben die Tiere der mutigen Frau.
	die	***Freundschaft**, die Freundschaften*	friendship	Der Teddybär ist ein Symbol der Freundschaft.
		schließlich	in the end	Und Fritz meldet sich schließlich bei ihr.
Ü7c		***heutige***	present	Was ist für Sie das größte Problem der heutigen Zeit?
Ü8	*das*	***Kreuzworträtsel**, die Kreuzworträtsel*	crossword puzzle	Lösen Sie das Kreuzworträtsel.
	der	***TV-Artikel**, die TV-Artikel*	TV article	Lesen Sie den TV-Artikel.
	der	***Isländer**, die Isländer*	Icelander (m)	Der Isländer Hilmir ist Schauspieler.

	die	***Isländerin**, die Isländerinnen*	Icelander (f)	Die Isländerin ist Schauspielerin.
	das	***Musiktheater**, die Musiktheater*	musical theatre	Im Musiktheater singt und schauspielert man.
Ü10a	*die*	***Premiere**, die Premieren*	premiere	Ich lade Sie zur Premiere ein.
	der	***Teppich**, die Teppiche*	carpet	Ich kann über den roten Teppich laufen.
	der	***Assistent**, die Assistenten*	assistant (m)	Der Assistent stellt die Vase auf den Boden.
	die	***Assistentin**, die Assistentinnen*	assistant (f)	Die Assistentin stellt die Vase auf den Boden.
Ü10a	*das*	***Fensterbrett**, die Fensterbretter*	windowsill	Was haben Sie auf das Fensterbrett gestellt?
Ü14	das	**Original**, die Originale	original	Das Restaurant unsicht-Bar ist das Original.
	das	***Wesentliche***	essential	Das Wesentliche ist für die Augen unsichtbar.
		unsichtbar	invisible	Das Wesentliche ist für die Augen unsichtbar.
	der/der	***Prominente**, die Prominenten*	VIP	Viele Prominente hatten ihren Spaß bei uns.
	der	**Star**, die Stars	star	Viele Stars hatten ihren Spaß bei uns.
Ü15a	der	**Erfinder**, die Erfinder	inventor (m)	Louis Braille ist der Erfinder der Brailleschrift.
	die	**Erfinderin**, die Erfinderinnen	inventor (f)	Sie ist die Erfinderin der Stofftiere.

die	***Computersprache**, die Computersprachen*	computer language	BASIC ist eine Computersprache.
der	***Morsecode**, die Morsecodes*	Morse code	Der Morsecode ist ein System aus Strichen und Punkten.
der	***Strich**, die Striche*	dash	Der Morsecode ist ein System aus Strichen und Punkten.

12 Ideen und Erfindungen

die	**Erfindung**, die Erfindungen	invention	Vor allem im 19. Jahrhundert gab es besonders viele Erfindungen.
der	***Reißverschluss**, die Reißverschlüsse*	zipper	Der Reißverschluss wurde 1914 erfunden.
die	***Nähmaschine**, die Nähmaschinen*	sewing machine	Die Nähmaschine wurde 1855 erfunden.

die	***Fernbedienung**, die Fernbedienungen*	remote control	Die Fernbedienung wurde im 20. Jahrhundert erfunden.
der	***Staubsauger**, die Staubsauger*	vacuum cleaner	Der Staubsauger wurde 1901 erfunden.
das	**Streichholz**, die Streichhölzer	match	Das Streichholz wurde schon sehr früh erfunden.
der	***Toaster**, die Toaster*	toaster	Im 20. Jahrhundert wurde der Toaster erfunden.
die	***Glühbirne**, die Glühbirnen*	light-bulb	Die Glühbirne gibt es schon viele Jahre.
die	***Mikrowelle**, die Mikrowellen*	microwave	Die Mikrowelle wurde im Jahr 1946 erfunden.

1 Ideen aus D-A-CH

das	**Jahrhundert**, die Jahrhunderte	century	Es gab vor allem im 19. Jahrhundert und in der ersten Hälfte des 20. Jahrhunderts viele Erfindungen.
die	**Innovation**, *die Innovationen*	innovation	In dieser Zeit gab es viele Erfindungen und technische Innovationen.
der	***Dieselmotor**, die Dieselmotoren*	diesel motor	Der Dieselmotor wurde 1890 von Rudolf Diesel erfunden.
der	***Kaffeefilter**, die Kaffeefilter*	coffee filter	Melitta Bentz erfand 1908 den Kaffeefilter.

der	***Buchdruck**, die Buchdrucke*	printing	Johannes Gutenberg erfand 1440 den Buchdruck.
der	***Teebeutel**, die Teebeutel*	teabag	Der Teebeutel wurde 1929 erfunden.
die	**Zahnpasta**	toothpaste	Die Zahnpasta gibt es seit 1907.
das	**MP3-Format**, die MP3-Formate	MP3 format	Das MP3-Format ist die berühmteste Erfindung des Fraunhofer-Instituts.
der	***Klettverschluss**, die Klettverschlüsse*	velcro	Der Klettverschluss wurde 1949 erfunden.
die	***Schiffsschraube**, die Schiffsschrauben*	ship's propeller	Die Schiffsschraube wurde von Josef Ressel erfunden.
1.1c	***transparent***	transparent	Sie ist transparent und feuerfest, große Hitze ist für sie kein Problem.
	feuerfest	fireproof	Sie ist transparent und feuerfest, große Hitze ist für sie kein Problem.
die	***Revolution**, die Revolutionen*	revolution	Diese Erfindung war eine Revolution.
die	**Produktion**, die Produktionen	production	Sie machte die Produktion von Texten billiger.
die	***Bibel**, die Bibeln*	bible	Eine berühmte Bibel trägt den Namen des Erfinders aus Mainz.

	erfinden, er erfindet, er hat erfunden	(to) invent	Ein Schweizer hat ihn erfunden.
das	***Vorbild***, *die Vorbilder*	model	Die Natur war Vorbild für seine Erfindung.
	binden, *er bindet, er hat gebunden*	(to) tie	Man muss keine Schuhe mehr binden.
der	***Physiker***, *die Physiker*	physician (m)	Ein Physiker hat sie aber 30 Jahre vorher in Berlin gemacht.
die	***Physikerin***, *die Physikerinnen*	physician (f)	Eine Physikerin hat sie aber 30 Jahre vorher in Berlin gemacht.
das	**Gerät**, die Geräte	device	Heute sind die Geräte flach und digital.
	flach	flat	Heute sind die Geräte flach und digital.
	digital	digital	Heute sind die Geräte flach und digital.
die	***Technologie***, *die Technologien*	technology	Diese Technologie ist besonders attraktiv für Musikfans.
das	***Forschungslabor***, *die Forschungslabore*	research laboratory	Diese Technologie kommt aus einem deutschen Forschungslabor.
der	***Chip***, *die Chips*	chip	Man kann mit ihr viele Lieder auf einem kleinen Chip speichern.

	die	***Seefahrt**, die Seefahrten*	seafaring	Für die Seefahrt war diese Erfindung wichtig, um schneller fahren zu können.
1.2	das	**Problem**, die Probleme	problem	Große Hitze ist für sie kein Problem.
1.2a		**addieren**, er addiert, er hat addiert	(to) add up	Addieren Sie die Jahreszahlen.

2 Erfindungen – wozu?

		wozu	for what	Wozu braucht man Erfindungen?
2.1a	*die*	***Kühlung**, die Kühlungen*	cooling	Lindes Erfindung macht die Kühlung von Bier möglich.
		entwickeln, er entwickelt, er hat entwickelt	(to) develop	Carl Benz entwickelte das Fließband.
	das	***Fließband**, die Fließbänder*	conveyor belt, assembly line	Carl Benz entwickelte das Fließband.
	die	***MP3-Technik***	MP3 technology	Die MP3-Technik wurde zuerst in Japan produziert.

2.1b das	**Patẹnt**, die Patente	patent	Ein Patent schützt eine Erfindung und den Erfinder.
die	***Nụtzung***, *die Nutzungen*	use	Er darf dann die Nutzung erlauben oder verbieten.
	erl<u>au</u>ben, er erlaubt, er hat erlaubt	allow	Er darf dann die Nutzung erlauben oder verbieten.
	nọtig	necessary	Erfindungen sind nötig, damit man Probleme lösen kann.
	damịt	so that	Erfindungen sind nötig, damit man Probleme lösen kann.
	l<u>ö</u>sen, er löst, er hat gelöst	(to) solve	Mit der Erfindung der Kühlmaschine konnte er dieses Problem lösen.
die	***Brauer<u>ei</u>***, *die Brauereien*	brewery	Für die Münchner Brauereien war z.B. das Kühlen von Bier ein Problem.
	k<u>ü</u>hl	cool	Nur kühles Bier war lange haltbar und der Transport möglich.
	hạltbar	able to last	Nur kühles Bier war lange haltbar und der Transport möglich.
der	***Profẹssor***, *die Professoren*	professor (m)	Linde war Professor an der Technischen Hochschule in München.

die ***Professorin**, die Professorinnen*	professor (f)	Sie war Professorin an der Technischen Hochschule in München.
die ***Kühlmaschine**, die Kühlmaschinen*	refrigerator	Mit der Erfindung der Kühlmaschine konnte er dieses Problem lösen.
die ***Serienproduktion**, die Serienproduktionen*	mass production	Die Serienproduktion der Kühlschränke für die privaten Haushalte startete erst 1913.
das ***Automobil**, die Automobile*	automobile	Wilhelm Maybach entwickelte zwei Jahre später das erste Automobil.
die ***Serie (in Serie)***	mass	Oft werden Erfindungen in anderen Ländern in Serie produziert.
der ***Flüssigkeitskristallbildschirm**, die Flüssigkeitskristallbildschirme*	liquid crystal display (LCD) screen	Der Flüssigkeitskristallbildschirm ist eine Erfindung aus der Schweiz.
***veröffentlichen**, er veröffentlicht, er hat veröffentlicht*	(to) publish	Das Speichern und das Veröffentlichen von Musik sind mit der Technik möglich.
die **Entwicklung**, die Entwicklungen	development	Diese Technik ist eine Entwicklung aus Japan.
die ***Erfindernation**, die Erfindernationen*	inventor nation	Pro Kopf ist die Schweiz die größte Erfindernation.

	die	***Weltspitze***	world's best	Das ist Weltspitze.
		innovativ	innovative	Top-Universitäten und internationale Firmen sind innovativ und kreativ.
		kreativ	creative	Top-Universitäten und internationale Firmen sind innovativ und kreativ.
2.3	*das*	***Patentamt****, die Patentämter*	patent office	Ein Patentamt braucht man, um Patente anzumelden.
	das	***LCD-Display****, die LCD-Displays*	LCD display	Wozu braucht man ein LCD-Display?
2.5	der	**Zweck**, die Zwecke	purpose	Mit „um … zu" + Infinitiv kann man einen Zweck ausdrücken.
2.5a		**um … zu**	in order to	Mit „um … zu" + Infinitiv kann man einen Zweck ausdrücken.
2.5b		**analysieren**, er analysiert, er hat analysiert	(to) analyse	Analysieren Sie die Sätze.
2.5c	*die*	***Filtertüte****, die Filtertüten*	coffee filter	Man braucht Filtertüten, um Kaffee zu kochen.
	der	**Zahn**, die Zähne	tooth	Man braucht Zahnpasta, um sich die Zähne zu putzen.

2.6b die **Bedeutung**, die Bedeutungen — meaning — *Damit*-Sätze und *um … zu*-Sätze haben die gleiche Bedeutung.

3 Schokolade

3.1	*die*	***Kakaobohne**, die Kakaobohnen*	cocoa bean	In Südamerika kennt man die Kakaobohne seit mehr als 2000 Jahren.
		***importieren**, er importiert, er hat importiert*	(to) import	Im 17. Jahrhundert wurde der Kakao nach Europa importiert.
	die	**Medizin**	medicine	Hier wurde er aber lange nur als Medizin verkauft.
	das	**Bauchweh**	stomach-ache	Er wurde als Medizin gegen Bauchweh verkauft.
		bitter	bitter	Sie war leider ziemlich hart und bitter.
		ändern, er ändert, er hat geändert	(to) change	Das änderte erst der Schweizer Rudolphe Lindt.
		so genannt	so-called	Er baute 1879 die so genannte „Conche".
	die	**Schokoladenmasse**	cocoa liquor	Die Maschine rührt Schokoladenmasse stundenlang.

	rühren, *er rührt, er hat gerührt*	(to) stir	Die Maschine rührt Schokoladenmasse stundenlang.
der	**Prozess**, *die Prozesse*	process	Der Prozess dauert oft mehr als 72 Stunden.
die	**Produktionsmethode**, *die Produktionsmethoden*	production method	1972 verbesserte die Firma Lindt & Sprüngli diese Produktionsmethode.
die	**Schokoladenproduktion**, *die Schokoladenproduktionen*	chocolate production	Für Schokoladenproduktion mit Milch braucht man nur noch zwei Stunden.
	formen, *er formt, er hat geformt*	(to) form	Dann wird die Schokolade geformt und verpackt.
	verpacken, er verpackt, er hat verpackt	(to) package	Dann wird die Schokolade geformt und verpackt.
die	**Herstellung**, *die Herstellungen*	production	Lindts Erfindung wird heute überall zur Herstellung von Schokolade verwendet.
der	**Produktionsstandort**, *die Produktionsstandorte*	production site	Die Schweizer Lindt & Sprüngli Gruppe hat heute sechs Produktionsstandorte in Europa.
der	**Schokoladenproduzent**, *die Schokoladenproduzenten*	chocolate producer (m)	Viele kleine Schokoladenproduzenten sind heute sehr erfolgreich.

	die	***Schokoladenproduzentin**, die Schokoladenproduzentinnen*	chocolate producer (f)	Viele kleine Schokoladenproduzentinnen sind heute sehr erfolgreich.
	die	***Kräuter** (Pl.)*	herbs	Spezialitäten wie Schokolade mit Kräutern sind heute sehr erfolgreich.
3.2	die	**Gründung**, die Gründungen	founding	Die Gründung der Firma fand 1898 statt.
	der	***Standort**, die Standorte*	location	Lindt & Sprüngli hat zwei Standorte in den USA.
3.4a	*die*	***Produktbeschreibung**, die Produktbeschreibungen*	product description	die Produktbeschreibung lesen
		woraus	out of what	Woraus besteht das Produkt?
		herstellen, er stellt her, er hat hergestellt	(to) produce	Wo wird es hergestellt?
	das	***Mus***	jam	Das Mus aus Mühlhausen ist ein Verkaufshit.
	der	***Verkaufshit**, die Verkaufshits*	sales hit	Das Mus aus Mühlhausen ist ein Verkaufshit.
	die	***Zentrale**, die Zentralen*	central office	Die Zentrale der Firma ist heute in Mönchengladbach.
	die	**Pflaume**, die Pflaumen	plum	Das Mus besteht aus Pflaumen, Zimt und anderen Gewürzen.

	der ***Zimt***	cinnamon	Das Mus besteht aus Pflaumen, Zimt und anderen Gewürzen.
	das ***Gewürz**, die Gewürze*	spice	Das Mus besteht aus Pflaumen, Zimt und anderen Gewürzen.
	geheim	secret	Das genaue Rezept ist geheim.
	richtig	proper(ly)	Ein Besuch auf der Internetseite macht richtig Appetit.
	der **Appetit**	appetite	Ein Besuch auf der Internetseite macht richtig Appetit.
3.5	*die* ***Produktionsbeschreibung**, die Produktionsbeschreibungen*	production description	Schreiben Sie eine Produktionsbeschreibung.

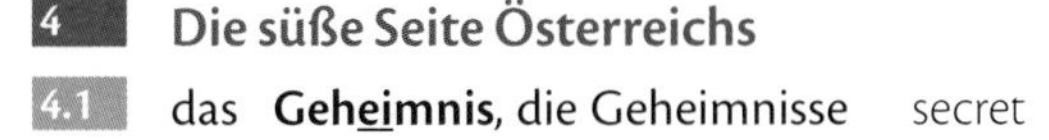

4 Die süße Seite Österreichs

4.1	das **Geheimnis**, die Geheimnisse	secret	Das Rezept für die Sacher-Torte ist ein süßes Geheimnis.
	das ***Unternehmen**, die Unternehmen*	company	Die Internetseite informiert über das Unternehmen Sacher.

die	**Torte**, die Torten	cake	Die Torte wird seit 1832 gebacken.
	wohl	probably	Seit 1832 ist die Sacher-Torte die wohl berühmteste Torte der Welt.
	streng	strict(ly)	Das Originalrezept ist ein streng gehütetes Geheimnis.
	hüten, *er hütet, er hat gehütet*	(to) protect	Das Originalrezept ist ein streng gehütetes Geheimnis.
	saftig	juicy	Die Torte besteht aus saftigem, flaumigem Schokoladenkuchen.
	flaumig	feathery	Die Torte besteht aus saftigem, flaumigem Schokoladenkuchen.
	hausgemacht	homemade	Der Schokoladenkuchen wird mit hausgemachter Marillenmarmelade verfeinert.
die	***Marillenmarmelade***, *die Marillenmarmeladen*	apricot jam	Der Schokoladenkuchen wird mit hausgemachter Marillenmarmelade verfeinert.
	verfeinern, *er verfeinert, er hat verfeinert*	(to) refine	Der Schokoladenkuchen wird mit hausgemachter Marillenmarmelade verfeinert.
	perfektionieren, *er perfektio-niert, er hat perfektioniert*	(to) perfect	Perfektioniert wird diese köstliche Torte mit einer edlen Kuvertüre.

	köstlich	delicious	Perfektioniert wird diese köstliche Torte mit einer edlen Kuvertüre.
	edel	fine	Perfektioniert wird diese köstliche Torte mit einer edlen Kuvertüre.
die	***Kuvertüre**, die Kuvertüren*	chocolate coating	Perfektioniert wird diese köstliche Torte mit einer edlen Kuvertüre.
	rein	pure	Die Original Sacher-Torte wird in reiner Handarbeit hergestellt.
die	***Handarbeit**, die Handarbeiten*	by hand	Die Original Sacher-Torte wird in reiner Handarbeit hergestellt.
	erfahren	experienced	Die Sacher-Torte wird von erfahrenen Konditoren hergestellt.
der	***Konditor**, die Konditoren*	pastry chef (m)	Die Sacher-Torte wird von erfahrenen Konditoren hergestellt.
die	***Konditorin**, die Konditorinnen*	pastry chef (f)	Die Sacher-Torte wird von erfahrenen Konditorinnen hergestellt.
der	***Bezirk**, die Bezirke*	district	Im 11. Wiener Bezirk werden heute rund 300.000 Torten pro Jahr hergestellt.

der	***Verpacker**, die Verpacker*	packer (m)	Daran arbeiten auch 25 Verpacker und Verpackerinnen.
die	***Verpackerin**, die Verpackerinnen*	packer (f)	Daran arbeiten auch 25 Verpacker und Verpackerinnen.
	***aufschlagen**, er schlägt auf, er hat aufgeschlagen*	(to) break (open)	Eine Mitarbeiterin schlägt pro Tag 7.500 Eier auf.
	dafür	for that	Heute gibt es dafür eine automatische Schneidemaschine.
	automatisch	automatic	Heute gibt es dafür eine automatische Schneidemaschine.
	genießen, er genießt, er hat genossen	(to) enjoy	Am besten man genießt ein Stück Torte mit einer Tasse Kaffee.
	ungesüßt	unsweetened	Am besten man genießt ein Stück Torte mit ungesüßtem Schlagobers.
	Schlagobers	whipped cream	Am besten man genießt ein Stück Torte mit ungesüßtem Schlagobers.
	markenrechtlich	trademark-	Die Original Sacher-Torte ist ein markenrechtlich geschütztes Produkt.

4.2	*die*	***Berufsbezeichnung**, die Berufsbezeichnungen*	job title	Das ist die Berufsbezeichnung für einen Menschen, der Torten herstellt.
4.3	*die*	***Werbesprache**, die Werbesprachen*	advertising language	In der Werbesprache werden Produkte mit Adjektiven beschrieben.
4.3b	*die*	***Erklärung**, die Erklärungen*	explanation	Welche Adjektive passen zu diesen Erklärungen?
	die	***Routine**, die Routinen*	routine	Das bedeutet jemand hat viel Routine.
4.4a	*das*	***Öl**, die Öle*	oil	Man braucht etwas Öl und etwas Milch.
	das	***Backpulver**, die Backpulver*	baking powder	Dann gibt man das Backpulver dazu.
	die	***Kochschokolade**, die Kochschokoladen*	baking chocolate	Im Rezept stehen 100 Gramm Kochschokolade.
	die	***Erdbeermarmelade**, die Erdbeermarmeladen*	strawberry jam	Für den Kuchen braucht man auch Erdbeermarmelade.
4.6	*das*	***Lieblingsrezept**, die Lieblingsrezepte*	favourite recipe	Sacher-Torte ist mein Lieblingsrezept.
4.6b	die	**Rezept-Collage**, die Rezept-Collagen	recipe collage	eine Rezept-Collage gestalten und präsentieren
	das	***Original**, die Originale*	original	Das Original stammt aus China.

	***stammen**, er stammt, er stammte*	(to) come from	Das Original stammt aus China.
die	***Ravioli** (Pl.)*	ravioli	Marco Polo nannte sie Ravioli.
	***füllen**, er füllt, er hat gefüllt*	(to) fill	Man kann sie mit Fleisch oder vegetarisch füllen.
die	***Füllung**, die Füllungen*	filling	Man trinkt die Suppe und isst die Füllung.
der	***Teig**, die Teige*	dough	Man lässt etwas Teig auf dem Teller liegen.

Ü Übungen

Ü2		**weggehen**, er geht weg, er ist weggegangen	(to) go away	Mit dieser Erfindung gehen Kopfschmerzen weg.
	die	**Fahrt (etw. in Fahrt bringen)**, er bringt etw. in Fahrt, er hat etw. in Fahrt gebracht	(to) get sth. going	Damit bringt man ein Auto in Fahrt.
Ü4		***analog***	analogue	Das Gegenteil von analog ist digital.
		intransparent	intransparent	Das Fenster war intransparent.
		unpraktisch	impractical	Die Maschine war davor sehr unpraktisch.

		unattraktiv	unattractive	Sie war nicht attraktiv, niemand wollte sie kaufen.
		unecht	fake	Man kann auch unechte Sacher-Torte backen.
Ü5a	der	**Autofahrer**, die Autofahrer	car driver (m)	Mit dieser Erfindung können Autofahrer auch bei Schnee sicher fahren.
	die	**Autofahrerin**, die Autofahrerinnen	car driver (f)	Mit dieser Erfindung können Autofahrerinnen auch bei Schnee sicher fahren.
	der	***Scheibenwischer**, die Scheibenwischer*	window cleaner	Erst später baute man Autos mit Scheibenwischern.
	der	**Fahrer**, die Fahrer	driver (m)	Der Fahrer hatte das Fenster offen, weil er schlecht sehen konnte.
	die	**Fahrerin**, die Fahrerinnen	driver (f)	Die Fahrerin hatte das Fenster offen, weil sie schlecht sehen konnte.
	die	**Autoindustrie**	auto industry	Aber die Autoindustrie hatte kein Interesse.
		P.S.	P.S. (postscript)	P.S.: Auf dem Foto fahre ich das erste Mal Auto in Deutschland!
Ü6a		**ähnlich**	similar	Bei der Serienproduktion werden viele ähnliche Produkte produziert.

	die	***Produktionsstraße**, die Produktionsstraßen*	production line	Ein Fließband ist eine Produktionsstraße.
	die	**Geschwindigkeit**, die Geschwindigkeiten	speed	Ein Fließband läuft immer mit gleicher Geschwindigkeit.
		***stehen (stehen für etw.)**, er steht für etw., er hat für etw. gestanden*	(to) stand for	MP3 steht für MPEG-1 Audio Layer 3.
		MPEG-1 Audio Layer	MPEG-1 Audio Layer	MP3 steht für MPEG-1 Audio Layer 3.
Ü6b	*das*	***Kühlproblem**, die Kühlprobleme*	cooling problem	Das Kühlproblem löste Carl von Linde.
Ü7a	*das*	***Patentrecht**, die Patentrechte*	patent law	Das Patentamt arbeitet nach dem Patentrecht.
	der	***Jahresbericht**, die Jahresberichte*	annual report	Im Jahresbericht 2013 gibt es eine Statistik.
		***erteilen**, er erteilt, er hat erteilt*	(to) issue	Das Europäische Patentamt prüft und erteilt europäische Patente.
	der	***Hauptsitz**, die Hauptsitze*	main office	Das EPA hat seinen Hauptsitz in München.
	die	***Patentanmeldung**, die Patentanmeldungen*	patent registration	Die meisten Patentanmeldungen kommen aus den USA.

		zwar	actually	Die Schweiz ist zwar ein kleines Land, hat aber viele Patente.
	der	**Anteil**, *die Anteile*	share	Die Schweiz hat 4 % Anteil an 66 700 Patenten.
		anwachsen*, er wächst an, er ist angewachsen*	(to) grow	Die Zahl der Patente in China wächst sehr schnell an.
	der	***Mitgliedstaat****, die Mitgliedstaaten*	member state	13 % der Patente kommen aus anderen Mitgliedstaaten.
Ü7b		***prozentual***	by percentage	Japan hat prozentual weniger Patente als Deutschland.
Ü8b	die	**Prüfung**, die Prüfungen	examination	Die Prüfung von einem Patent findet im EPA statt.
		sauber	clean	Der Transport von Lebensmitteln muss sauber und sicher sein.
Ü11a	*die*	***Milchschokolade****, die Milchschokoladen*	milk chocolate	Wieviel Zeit braucht man zur Herstellung von Milchschokolade?
	die	***Schokoladenspezialität****, die Schokoladenspezialitäten*	chocolate specialty	Welche Schokoladenspezialitäten sind in Deutschland beliebt?
Ü13	*das*	***Bärchen****, die Bärchen*	little bear	Ein Bärchen geht um die Welt.

Ü13a	das	**Gummibärchen**, *die Gummibärchen*	gummi bear	Gummibärchen werden von allen Kindern und vielen Erwachsenen geliebt.
		Bonner	native of Bonn	Heute ist Haribo ein großer Konzern mit Sitz im Bonner Stadtteil Kessenich.
	das	**Haribo-Produkt**, *die Haribo-Produkte*	Haribo product	Haribo-Produkte werden in mehr als 100 Ländern verkauft.
	die	**Packung**, *die Packungen*	package	In der Packung sind immer mehr rote Bärchen.
	das	**Werbemotto**, *die Werbemottos*	advertising motto	Viele Deutsche kennen das Werbemotto der Firma.
	das	**Motto**, *Mottos*	motto	1962 wurde das Motto ergänzt.
	der	**Werbespruch**, *die Werbesprüche*	advertising slogan	Es ist der bekannteste Werbespruch in Deutschland.
	der	**Gründer**, *die Gründer*	founder (m)	Hans Riegel ist der Gründer der Firma Haribo.
	die	**Gründerin**, *die Gründerinnen*	founder (f)	Sie ist die Gründerin ihrer eigenen Firma.
Ü13b	der	**Firmen-Name**, *die Firmen-Namen*	company name	Woher kommt der Firmen-Name?
Ü15		**fertigen**, *er fertigt, er hat gefertigt*	(to) produce	Die Sacher-Torte wird noch heute in Handarbeit gefertigt.

Ü16a	*der*	***Arbeitsschritt**, die Arbeitsschritte*	(work) step	Ordnen Sie die Arbeitsschritte.
	die	***Masse**, die Massen*	cake batter	Die Masse wird in einer Tortenform gebacken.
	die	**Tortenform**, die Tortenformen	cake form	Die Masse wird in einer Tortenform gebacken.
	die	***Mandel**, die Mandeln*	almond	Nach den Möhren und Mandeln wird der Eischnee untergehoben.
	der	***Eischnee***	beaten egg whites	Nach den Möhren und Mandeln wird der Eischnee untergehoben.
		***unterheben**, er hebt unter, er hat untergehoben*	fold in	Nach den Möhren und Mandeln wird der Eischnee untergehoben.
	das	***Eigelb**, die Eigelbe*	egg yolk	Zuerst werden das Eigelb, der Zucker und weitere Zutaten gemischt.
	der	***Puderzucker***	icing sugar	Nach dem Backen wird alles mit Marmelade und Puderzucker überzogen.
		***überziehen**, er überzieht, er hat überzogen*	(to) cover	Nach dem Backen wird alles mit Marmelade und Puderzucker überzogen.
		gerieben	grated	Im dritten Schritt werden geriebene Möhren hinzugegeben.

***hinzugeben**, er gibt hinzu, er hat hinzugegeben*	(to) add	Im dritten Schritt werden geriebene Möhren hinzugegeben.

Fit für B1? Testen Sie sich!

der ***Vorgang**, die Vorgänge*	process	Im Passiv kann man Vorgänge beschreiben.

Station 4

1 Berufsbilder

1.1

der ***Hotelkaufmann**, die Hotelkaufmänner*	hospitality specialist (m)	Beat Ruchti macht eine Ausbildung zum Hotelkaufmann.
die ***Rezeption**, die Rezeptionen*	reception	Im Moment arbeitet er an der Rezeption.
der Gepäcktransport, die Gepäcktransporte	baggage transport	Er organisiert den Gepäcktransport.
***erfüllen**, er erfüllt, er hat erfüllt*	(to) fulfill	Manche Gäste haben Wünsche, die man nicht erfüllen kann.

die	**Hotelfachfrau**, *die Hotelfachfrauen*	hospitality specialist (f)	Als Hotelfachfrau ist sie für die Zimmer zuständig.
	zuständig (sein), *er ist zuständig, er war zuständig*	(to) be responsible	Als Hotelfachfrau ist sie für die Zimmer zuständig.
die	**Hotelfachleute** (Pl.)	hospitality specialists	In Hotels erledigen Hotelfachleute verschiedene Aufgaben.
der	**Zimmerservice**	room service	Sie machen den Zimmerservice.
	sauber halten, *er hält sauber, er hat sauber gehalten*	(to) keep clean	Sie halten die Gästezimmer sauber und machen die Betten.
das	**Gästezimmer**, *die Gästezimmer*	guestroom	Sie halten die Gästezimmer sauber und machen die Betten.
die	**Restaurantfachfrau**, *die Restaurantfachfrauen*	gastronomy specialist (f)	Sie hat in Sachsen eine Ausbildung zur Restaurantfachfrau gemacht.
der	**Restaurantfachmann**, *die Restaurantfachmänner*	gastronomy specialist (m)	Er hat in Sachsen eine Ausbildung zum Restaurantfachmann gemacht.
die	**Restaurantfachleute** (Pl.)	gastronomy specialists	Restaurantfachleute bedienen Gäste und arbeiten im Restaurant.
die	**Speise**, die Speisen	food	Sie servieren Speisen und Getränke.

	der ***Grund (im Grunde)***	basically	Im Grunde habe ich mein Hobby zum Beruf gemacht.
	professionell	professional(ly)	In großen Küchen ist alles sehr professionell organisiert.
	die ***Kaltspeise****, die Kaltspeisen*	cold dish	Es gibt Köche, die Kaltspeisen vorbereiten.
	die **Süßspeise**, die Süßspeisen	dessert	Es gibt Köche für Soßen und Experten für Süßspeisen.
	der ***Küchenchef****, die Küchenchefs*	chef	Benjamin möchte später Küchenchef werden.
	der **Einkauf**, die Einkäufe	buying	Der Küchenchef macht auch den Einkauf.
1.4a	die **Karrierechance**, die Karrierechancen	career opportunity	In dem Beruf gibt es gute Karrierechancen.
1.4c	*der* ***Hotelberuf****, die Hotelberufe*	hotel occupation	Ich habe noch zwei Fragen und Antworten zu den Hotelberufen notiert.
1.5	*der* ***Lokführer****, die Lokführer*	engine driver (m)	Er ist von Beruf Lokführer.
	die ***Lokführerin****, die Lokführerinnen*	engine driver (f)	Sie ist von Beruf Lokführerin.
1.5a	*der* ***Arbeitstag****, die Arbeitstage*	work day	Ann-Kathrin erzählt über ihren Arbeitstag.

2 Wörter – Spiele – Training

2.1	*die*	***Berufsstatistik**, die Berufsstatistiken*	occupation statistic	Machen Sie im Kurs eine Berufsstatistik.
	der	***Bankkaufmann**, die Bankkaufmänner*	trained bank employee (m)	Im Kurs gibt es zwei Bankkaufmänner.
	die	***Bankkauffrau**, die Bankkauffrauen*	trained bank employee (f)	Im Kurs gibt es eine Bankkauffrau.
2.2	*die*	***Bildbeschreibung**, die Bildbeschreibungen*	picture description	Üben Sie eine Bildbeschreibung.
2.2a	die	**Wiese**, die Wiesen	meadow	Auf dem Bild sieht man eine Wiese.
	der	***Hügel**, die Hügel*	hill	Auf dem Hügel stehen Häuser.
	der	***Zaun**, die Zäune*	fence	Hinten sehe ich einen Zaun.
	die	***Eisenbahn**, die Eisenbahnen*	train	Vorne gibt es Bahnschienen und eine Eisenbahn.
	die	***Bahnschiene**, die Bahnschienen*	train track	Vorne gibt es Bahnschienen und eine Eisenbahn.
	der	***Mittelpunkt**, die Mittelpunkte*	mid-point	Im Mittelpunkt steht ein Mann.
2.2b	*der*	***Künstler**, die Künstler*	artist (m)	Aus welchem Land kommt der Künstler?

	die	***Künstlerin**, die Künstlerinnen*	artist (f)	Aus welchem Land kommt die Künstlerin?
2.4	*der*	***Ferienjob**, die Ferienjobs*	holiday job	Hattest du schon mal einen Ferienjob?
	der	***Weihnachtsmarkt**, die Weihnachtsmärkte*	Christmas market	Warst du schon mal auf einem Weihnachtsmarkt?
2.5	*die*	***Hotelfachschule**, die Hotelfachschulen*	hospitality school	Sie geht auf die Hotelfachschule.
2.6	*der*	***Landeskundetest**, die Landeskundetests*	geography test	Machen Sie einen Landeskundetest.
	der	***Nationalfeiertag**, die Nationalfeiertage*	national holiday	An diesem Tag ist der österreichische Nationalfeiertag.
		schweizerisch	Swiss	An diesem Tag ist der schweizerische Nationalfeiertag.

3 Filmstation

3.1a	*die*	***Hexe**, die Hexen*	witch	Kinder verkleiden sich an Halloween als Hexen.
	die	***Verkleidung**, die Verkleidungen*	dressing up	Die Verkleidung als Geist ist sehr beliebt.

3.1b	das	***Gespenst**, die Gespenster*	ghost	Nur Erwachsene verkleiden sich abends als Gespenster.
3.1c	der	***Spuk***	haunting	Das Fest hat viel mit Spuk zu tun.
	der	***Spruch**, die Sprüche*	saying	Die Kinder sagen einen Spruch und bekommen Süßigkeiten.
		***gruseln (sich)**, er gruselt sich, er hat sich gegruselt*	spooking	Na dann, fröhliches Gruseln.
3.1d		***spuken**, es spukt, es hat gespukt*	(to) haunt	Was Süßes raus, sonst spukt's im Haus.
3.3	der	***Mythos**, die Mythen*	myth	Was ist ein Mythos?
		***überliefern**, er überliefert, er hat überliefert*	(to) hand down	Ein Mythos ist eine überlieferte Erzählung aus der Vorzeit eines Volkes.
	die	***Erzählung**, die Erzählungen*	story	Ein Mythos ist eine überlieferte Erzählung aus der Vorzeit eines Volkes.
	die	***Vorzeit**, die Vorzeiten*	distant past	Ein Mythos ist eine überlieferte Erzählung aus der Vorzeit eines Volkes.
	das	***Volk**, die Völker*	people	Ein Mythos ist eine überlieferte Erzählung aus der Vorzeit eines Volkes.

	der **Gott**, *die Götter*	god	Ein Mythos befasst sich mit Göttern und der Entstehung der Welt.
	die **Entstehung**, *die Entstehungen*	origin	Ein Mythos befasst sich mit Göttern und der Entstehung der Welt.
	befassen (sich mit etw.), *er befasst sich mit etw., er hat sich mit etw. befasst*	(to) deal with	Ein Mythos befasst sich mit Göttern und der Entstehung der Welt.
	die **Begebenheit**, *die Begebenheiten*	occurrence	Ein Mythos kann auch eine Begebenheit sein, die schwer zu erklären ist.
	verehren, *er verehrt, er hat verehrt*	(to) honour	Oder er kann eine verehrte Person oder Sache sein.
3.5a	*die* **Glasur**, *die Glasuren*	glaze	Die Schokolade für die Glasur wird nur für diese Torte produziert.

4 Magazin

die **Vorweihnachtszeit**	pre-Christmas period	Vorweihnachtszeit ist eigentlich immer.

	***riechen (nach)**, es riecht, es hat gerochen*	(to) smell (of)	Auf allen Marktplätzen riecht es nach Glühwein und Bratwurst.
der	**Glühwein**, *die Glühweine*	mulled wine	Auf allen Marktplätzen riecht es nach Glühwein und Bratwurst.
das	***Weihnachtsgebäck***	Christmas baking	Auf allen Marktplätzen riecht es nach Weihnachtsgebäck und Bratäpfeln.
der	***Bratapfel**, die Bratäpfel*	baked apple	Auf allen Marktplätzen riecht es nach Weihnachtsgebäck und Bratäpfeln.
der	***Christkindlesmarkt**, die Christkindlesmärkte*	Christmas market	Der berühmteste Weihnachtsmarkt ist der Christkindlesmarkt in Nürnberg.
das	***Tabu**, die Tabus*	taboo	Ein Tabu gibt es allerdings.
	allerdings	though	Ein Tabu gibt es allerdings.
das	***Weihnachtslied**, die Weihnachtslieder*	Christmas carol	Weihnachtslieder im Juli: Das geht gar nicht.
das	***Au-pair-Mädchen**, die Au-pair-Mädchen*	au pair girl	Ein Au-pair-Mädchen in Frankfurt musste das lernen.
	übrigens	by the way	Das Lied wurde übrigens Anfang des 19. Jahrhunderts in Weimar zuerst gesungen.

der	***Priester**, die Priester*	priest	Der Priester Joseph Mohr schrieb das Lied „Stille Nacht“.
die	***Weihnachtsvorbereitung**, die Weihnachtsvorbereitungen*	Christmas preparation	Am Morgen war man gerade bei den Weihnachtsvorbereitungen.
	***komponieren**, er komponiert, er hat komponiert*	(to) compose	Sein Freund Franz Gruber komponierte sofort eine Melodie.
	***beeilen (sich)**, er beeilt sich, er hat sich beeilt*	(to) hurry	Die Männer mussten sich beeilen.
die	***Sängergruppe**, die Sängergruppen*	singing group	Wenige Stunden später wurde das Lied von einer Sängergruppe geübt.
der	***Kirchenbesucher**, die Kirchenbesucher*	churchgoer (m)	Die Kirchenbesucher waren begeistert.
die	***Kirchenbesucherin**, die Kirchenbesucherinnen*	churchgoer (f)	Die Kirchenbesucherinnen waren begeistert.
	still	silent	Stille Nacht, heilige Nacht.
	heilig	holy	Stille Nacht, heilige Nacht.
	***wachen**, er wacht, er hat gewacht*	(to) watch	Alles schläft, einsam wacht nur das traute hochheilige Paar.

	traut	sweet	Alles schläft, einsam wacht nur das traute hochheilige Paar.
	hochheilig	most holy	Alles schläft, einsam wacht nur das traute hochheilige Paar.
	hold	dear	Holder Knabe im lockigen Haar.
der	***Knabe**, die Knaben*	boy	Holder Knabe im lockigen Haar.
	lockig	curly	Holder Knabe im lockigen Haar.
	himmlisch	heavenly	Schlaf in himmlischer Ruh.
der	***Advent***	Advent	Advent, Advent ein Lichtlein brennt...
das	***Lichtlein**, die Lichtlein*	little light	Advent, Advent ein Lichtlein brennt...
das	***Kindergedicht**, die Kindergedichte*	children's poem	Das Kindergedicht hört man in den vier Wochen vor Weihnachten oft.
das	***Plätzchen**, die Plätzchen*	cookie	Man backt Plätzchen und bereitet sich auf die Weihnachtstage vor.
	trotz	in spite of	Trotz Kaufrausch und Hektik ist Weihnachten für die meisten Menschen sehr wichtig.
der	***Kaufrausch***	consumer high	Trotz Kaufrausch und Hektik ist Weihnachten für die meisten Menschen sehr wichtig.

die	***Hektik***	hectic rush	Trotz Kaufrausch und Hektik ist Weihnachten für die meisten Menschen sehr wichtig.
das	***Loch***, *die Löcher*	hole	In der Mitte des Apfels wird ein Loch gemacht.
das	***Marzipan***, *die Marzipane*	marzipan	Der Apfel wird mit Marzipan, Nüssen und Rosinen gefüllt.
der	***Ofen***, *die Öfen*	oven	Dann wird er im Ofen gebacken.
	weihnachtlich	Christmassy	Er schmeckt immer - als weihnachtliches Dessert oder auch einfach so.
die	***Fragen-Rallye***, *die Fragen-Rallyes*	question rally	Machen Sie eine Fragen-Rallye.
das	***Geburtstagslied***, *die Geburtstagslieder*	birthday song	Singen Sie den Anfang eines Geburtstagsliedes.
das	***Streichholzschächtelchen***, *die Streichholzschächtelchen*	matchbox	Sagen Sie ganz schnell: tschechisches Streichholzschächtelchen.
	chronologisch	chronological(ly)	Ordnen Sie die Feste chronologisch.
	touristisch	touristic	Nennen Sie drei touristische Attraktionen in Weimar.

studio d A2
Deutsch als Fremdsprache

Redaktion: Maria Funk
Übersetzung: Mark Eriksson (Saskatoon, Kanada)

Umschlaggestaltung: Klein & Halm Grafikdesign, Berlin
Gestaltung und technische Umsetzung: zweiband.media, Berlin

Informationen zum Lehrwerksverbund **studio [21]** finden Sie unter **www.cornelsen.de/studio21**.

www.cornelsen.de

1. Auflage, 1. Druck 2015

Alle Drucke dieser Auflage sind inhaltlich unverändert und können im Unterricht nebeneinander verwendet werden.

Druck: orthdruk, Bialystok, Polen

ISBN 978-3-06-520845-1

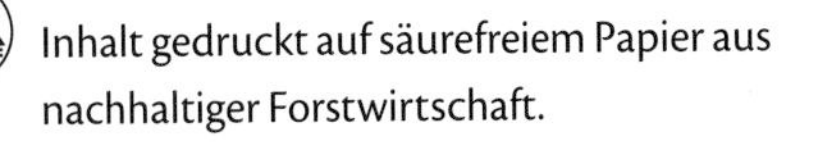

Inhalt gedruckt auf säurefreiem Papier aus nachhaltiger Forstwirtschaft.